A U

EDITOR
Javier RODRÍGUEZ

COORDINACIÓN EDITORIAL
Marisa LÓPEZ DE PARIZA

AUTORA
Eva CARRASCO

DISEÑO
Quique TERUEL

MAQUETACIÓN
María FERNÁNDEZ

FOTOGRAFÍA
Oficina Austríaca del Turismo

FOTOMECÁNICA
Disefilm, S.L.

IMPRESIÓN
Artes Gráficas Gáez, S.A.

ISBN: 84-89960-69-0

DEPÓSITO LEGAL: M-11.827-2001

© de la primera edición
© de la reimpresión
EDICIONES JAGUAR, S.A
Laurel, 23. 28005 Madrid
E-mail: jaguar@edicionesjaguar.com

Índice

Mapa
de
Austria

Baja Austria

Alta Austria

Viena

Estiria

Burgenland

Salzburgo

Tirol Oriental

Carintia

Austria: Apuntes Geográficos e Históricos

Austria está situada en el centro de Europa, haciendo frontera con Suiza, Alemania, las repúblicas checa y eslovaca, Hungría, Eslovenia e Italia. En su territorio tiene parte de los Alpes Orientales y de la comarca danubiana, además está muy próxima a la región mediterránea. Su longitud máxima es de 580 km. y su anchura máxima de 270 km. La longitud de sus fronteras es de 2.637 km. El pico más alto es el Grossglockner, con 3.797 metros y el Danubio recorre unos 350 km. del territorio austríaco.

Aunque Austria no está rodeada por el mar, se la considera muchas veces una isla de paz, por su Declaración de Neutralidad (1955) y por su seguridad. Tiene 8,6 millones de habitantes de los que 1,6 viven en Viena. Los austríacos pertenecen a las grandes familias étnicas europeas de los germanos, romanos y eslavos. El 78% de los austríacos es católico romano. El 5% es protestante, en su mayoría de confesión de Augsburgo.

Austria es un país agradable, desde el punto de vista climatológico. Cálido, pero no caluroso, en verano o inviernos nevados, con un frío soportable, tienen su atractivo. Los paisajes verdosos con bosques, lagos, praderas, montañas y hasta glaciares tienen un encanto especial.

Figura entre los países europeos más poblados de bosques, fundamentalmente de haya, roble y pino. Las regiones forestales ocupan el 46% de la superficie.

Se trata de una república democrática confederada con nueve estados federados: Viena, Baja Austria, Alta Austria, Burgenland, Estiria, Salzburgo, Carintia, Tirol y Vorarlberg.

Burgenland es la provincia más oriental. Este estado federado surgió en 1921 de regiones marginales de Hungría de habla alemana que fueron adjudicadas a Austria en el Tratado de Paz de Saint-Germain (1919). Burgenland es un territorio típicamente agrario. En la iglesia Bergkirche de su capital, Eisenstadt, yacen los restos mortales de Haydn y en el palacio Esterházy se celebran los festivales en honor a este compositor.

Carintia, la provincia más meridional de Austria, conforma una unidad paisajística rodeada por

• Tumba de Joseph Haydn en Eisenstadt

una cadena de montañas. La denominada riviera austríaca cuenta entre sus atractivos con su capital Klagenfurt y los balnearios a orillas de los lagos Ossiacher See y Millstätter See. Además del cuarto lago, el Weissensee, Carintia posee unos 200 lagos medianos y pequeños.

La **Baja Austria**, atravesada por el Danubio, es la provincia de mayor superficie. La capital de la provincia es St. Pölten desde 1986. La Baja Austria es una provincia sumamente rica en excavaciones arqueológicas y monumentos culturales: importantes hallazgos de la edad de piedra como la Venus de Willendorf y de la época romana como el campamento de Carnuntum. Los monasterios e iglesias del Románico y Gótico y los magníficos conventos y castillos del Barroco hacen de esta provincia un lugar de singular interés para los expertos en arte. La **Alta Austria**, la provincia al otro lado del Enns, brinda un trío paisajístico: al norte las mesetas de granito y gneis, separadas de la región subalpina por el valle del Danubio y continuadas al sur por la parte del Salzkammergut de esta provincia y los Alpes Altos Calcáreos. Tienen gran prestigio las ferias internacionales de Wels y Ried que presentan los productos del sector agropecuario y desde 1974, como programa cultural de contraste, Linz ofrece anualmente el Festival Internacional de Bruckner.

Salzburgo debe su nombre a su gran riqueza en sal que se extrae desde tiempos inmemoriales. La capital, del mismo nombre, es sede del Gobierno Provincial y del Arzobispo de Salzburgo. Después de 1945, la ciudad natal de Mozart y toda la provincia se ha convertido en un centro de turismo internacional. El casco de la ciudad fue conservado como conjunto urbanístico, arquitectónico e histórico. Los balnearios Badgastein y Bad Hofgastein con las fuentes termales de Gastein gozan de reputación internacional en todo el mundo. Igual ocurre con el Festival de Salzburgo, creado en 1920, que es complementado por el Festival de Pascuas y los conciertos de Pentecostés fundados por Herbert von Karajan.

Estiria es denominada la Marca Verde porque la mitad de su suelo está cubierto de extensos bosques y otra cuarta parte por praderas, pastizales, pastos alpinos y viñedos. La parte septentrional, la montañosa Alta Estiria, es llamada la Marca de Hierro por sus riquezas ferríferas y su industria siderometalúrgica aquí radicada. Graz, la capital, es un importante centro austríaco de economía, cultura e instrucción.

El **Tirol** es una de las regiones turísticas más conocidas del mundo, que se ha creado una imagen muy singular formada por montañas y bosques, alpinismo y deportes de invierno, las viejas fincas en medio de magníficos paisajes y un folclore muy colorido. Esta provincia es el principal proveedor de divisas por turismo. El Tirol es también un foro de encuentros intelectuales así como un hogar de la cultura y del arte contemporáneos.

Vorarlberg es la provincia austríaca más occidental y sus habitantes hablan un dialecto alemán afín al suizo y suabio. El Ländle, territorio entre el lago de Constanza y el Arlberg con sus bellezas naturales, es sumamente popular entre los huéspedes extranjeros. La región del Arlberg, que forma el límite entre Vorarlberg y Tirol, es conocida en todo el mundo como

• Vorarlberg es un centro de deportes de nieve

un centro del deporte de esquí alpino.

Por último, **Viena** reúne dos caracteres al propio tiempo: capital federal y estado federado. La ciudad se halla situada en la parte oriental del territorio austríaco. La capital es sede de los órganos legislativos del Estado, del gobierno federal, de autoridades centrales, de la corte suprema y de una serie de organizaciones internacionales.

HISTORIA

La céntrica situación de Austria en la geografía europea le ha permitido tomar parte en todas las etapas de la historia del continente. A partir de una región fronteriza surgió, en el transcurso de los siglos, un poderoso imperio, un estado multinacional, el cual caería al finalizar la Primera Guerra Mundial.

Dos han sido las familias que han reinado en esta tierra: los Babenberg y los Habsburgo. Tras la Primera Guerra Mundial surgiría la pequeña República de Austria. La Segunda Guerra Mundial, con todas sus consecuencias, permitió el surgimiento de un estado consciente de su papel en Europa.

En Austria la presencia del hombre se remonta a la época interglacial. Tiempo después, los celtas ocuparon las zonas que hoy comprenden los estados de Salzburgo y Burgenland.

El Imperio Romano, ya desde hace mucho tiempo socio comercial de los reyes y príncipes nórdicos, conquista, hacia el nacimiento de Cristo, la mayor parte de la Austria actual. Con la caída del poder romano, comenzaron a introducirse, a través de las fronteras, tribus germanas. A partir del siglo VI comenzará un periodo de asentamiento continuado por parte de los bávaros que lucharon con eslavos y ávaros que venían del este. El soberano franco Carlomagno creó después de la victoria contra los ávaros un sistema de seguridad para sus fronteras, fundando en el territorio austríaco la Marca Carolingia del Este entre los ríos Enns, Raab y Drave. A finales del siglo IX, los magiares irrumpen en territorio austríaco, aplastan a los ejércitos bávaros y cae la Marca. En 955 Otón el Grande reconquista la región y alrededor de 970 se establece la Marca Carantánica bajo la administración de los Eppensteiner. Seis años después es conferida la región comprendida entre los ríos

• Castillo de Schattenburg en Feldkirch

Enns y Traisena a Leopoldo de Babenberg, proveniente de una familia de alta nobleza de Bavaria.

Reinado de los Babenberg

Ya antes del cambio de milenio, en 996, la región subalpina es mencionada en un documento con el nombre de Österreich. En 1156 el duque Enrique II eligió a Viena como la sede definitiva de su reinado. Durante la Guerra de las Investiduras tomaron partido, así como en las Cruzadas. En 1192 Leopoldo V hizo encarcelar a su rival, el rey inglés Ricardo Corazón de León, al que dejó libre tras el pago de un rescate que utilizó para la fortificación de Wiener, Neustadt y Viena. En 1246 muere el último duque Babenberg sin descendencia. Le sucede Ottokar II de Bohemia casado con una Babenberg. Sin embargo, el rey del Sacro Imperio Romano, Rodolfo de Habsburgo, no reconoce el poder del rey de Bohemia y se produce una confrontación en la que vence Rodolfo y ocupa las tierras de los Babenberg.

600 años de reinado de los Habsburgo

Rodolfo IV (1358-1365), que inaugura la dinastía de los Habsburgo en Austria, fue el fundador de la Universidad de Viena y de la ampliación de la Catedral de San Esteban en Viena. En 1438, Alberto V se convierte en rey de Bohemia y Hungría y de Alemania. A su muerte le sucede Federico III, de la rama

• Cáliz del 777 en Kremsmuenster

ya que sirve a tres emperadores: Leopoldo I, José I y Carlos VI.

En 1700 se extinguen los Habsburgo hispánicos, por la muerte de Carlos II "El Hechizado" sin descendencia. En una guerra europea, la Guerra de la Sucesión de España, la casa de los Austrias no es capaz de recuperar las posesiones españolas.

A la muerte del emperador Carlos VI, le sucede su hija María Teresa quien se tiene que enfrentar a las pretensiones del rey prusiano Federico II de apoderarse de la herencia. Esta destacada soberana unificó las provincias e introdujo importantes reformas en la economía y la enseñanza. Su hijo José II abolió la esclavitud de los campesinos y promulgó la tolerancia religiosa. La corte en tiempos de María Teresa y su hijo es el centro de la música con Haydn y Mozart a la cabeza.

En la época de la Revolución Francesa el emperador Francisco II, nieto de María Teresa y sobrino de la ejecutada reina francesa María Antonieta, se une contra la Francia revolucionaria. Más tarde Austria tiene que sufrir serias derrotas en las campañas militares de Napoleón. La formación de la Confederación del Rin origina en 1806 la disolución del Sacro Imperio Romano y Francisco II continúa gobernando como emperador austríaco. Tras la derrota sobre Napoleón, el Congreso de

tirolesa de la familia, quien será coronado en Roma como emperador y mediante su política de pactos hará crecer el imperio. Casa a su hijo Maximiliano con la heredera burgundia María. Éste a su vez asegura, mediante una hábil política matrimonial, la sucesión para sus nietos Fernando y Carlos en Bohemia y Hungría, así como también en España, por lo que la dinastía se divide en dos líneas: la austro-alemana y la hispano-neerlandesa.

El Imperio Otomano arremete contra Europa desde el siglo XIV. En dos ocasiones (en 1529 y 1683) llegan a las puertas de Viena, pero poco a poco se consiguen rechazar sus ataques y se reconquista Hungría. Estas grandes campañas se deben al príncipe Eugenio de Sabo-

Emperadores

Viena, dominado por Metternich, vuelve a establecer el viejo orden europeo.

En 1848 las ideas de la Revolución Burguesa se propagan y llegan a Austria, pero los conservadores consiguen sofocar el levantamiento. Es entonces cuando el joven emperador Francisco José I establece un sistema neoabsolutista. Debido a los conflictos con Prusia, Austria se ve obligada a abandonar la Confederación Germánica. Al verse aislada, Austria busca la conciliación con Hungría. En 1867, Hungría se convierte en el segundo miembro de una confederación de estados, en la que Francisco José I y su esposa Sissí son emperadores de Austria y reyes de Hungría. En un complicado sistema europeo de alianzas, Austria-Hungría se une al Reich alemán y a Italia en una coalición tripartita.

Tras el Imperio Austro-húngaro

El asesinato del pretendiente austríaco al trono, el archiduque Francisco Fernando, el 28 de junio de 1914 en Sarajevo, es el pretexto para el estallido de la Primera Guerra Mundial. Tras la derrota de las potencias centrales (Austria-Hungría, el Reich alemán y la aliada de ambos, Turquía), la doble monarquía se desmembra en estados nacionales y del resto surge la República de Austria. Un día después de la declaración de renuncia del último emperador austríaco, Carlos I, la Asamblea Nacional Provisoria proclama la República de Austria y declaran la anexión a Alemania.

Las diferencias políticas se traducen en sangrientas luchas callejeras. En 1933 el canciller federal Dollfuss aprovecha una crisis del parlamento para eliminar esta institución y establecer un estado corporativista autoritario. El nuevo canciller federal, Schuschnigg logra alianzas con Italia y Hungría, pero el intento de mantener la independencia es respondido con un ultimátum por parte del Reich alemán. En marzo de 1938, las tropas alemanas entran en Austria y la anexionan a su territorio.

Poco tiempo después comienza la Segunda Guerra Mundial con lo que supone para los judíos austríacos ya que con la anexión se extendieron las leyes de Nuremberg a Austria. Con el fin de la Guerra y la derrota de Austria, las tropas aliadas dividen el país en cuatro zonas de ocupación y las ilusiones iniciales de firmar a corto plazo un Tratado de Estado se derrumban por el inicio de la Guerra Fría. Ya por fin, el 15 de mayo de 1955 se firma en el Palacio de Belvedere de Viena, el Tratado de Estado. El primer día de la recuperada soberanía se acuerda la Ley sobre la permanente Neutralidad de Austria y pocos meses después ingresa en las Naciones Unidas.

Viena, Ciudad Imperial

V iena ha sido una de las metrópolis más importantes de Europa, debido a su excelente situación geográfica, y de tráfico en el cruce de la línea fluvial del Danubio con las vías de comunicación desde el mar Báltico hasta la región mediterránea. Avanzadilla de la civilización en el principio de los tiempos, centro de poder durante todo un milenio, y finalmente empujada a la periferia de las grandes potencias después de la Segunda Guerra Mundial, la capital austríaca ha ocupado todos los puestos posibles en la historia. En nuestros días, debido a la apertura de los países de Europa del Este, la metrópolis danubiana se ha convertido en una de las ubicaciones europeas de más significado. Según el informe de Adhesión de 1996 de la Comisión Europea, Viena representa la cuarta ciudad más próspera entre más de doscientas ciudades de la Unión Europea. La capital federal es sede de los órganos legislativos del Estado, del Gobierno Federal, de la

• Catedral de San Esteban

de la corte vienesa, ambiente que se vivió hasta la Primera Guerra Mundial. Viena es una gran ciudad capaz de proporcionar al visitante la placidez de sus famosos cafés, la quietud de sus jardines y a la vez una agitada vida intelectual con la que pocas ciudades del mundo se pueden comparar. Una ciudad para pasearla o para recorrerla en bicicleta, ya que todo el centro tiene vías especiales.

— Catedral de — San Esteban

Corte Suprema y de organizaciones internacionales. Viena es también una ciudad de congresos y un importante centro turístico por sus grandes monumentos, museos, galerías y palacios con tesoros artísticos de casi todas las etapas culturales de Occidente. Las universidades de Viena, sus escuelas superiores de arte y una seleccionada cultura teatral y musical ponen de relieve el papel cultural e intelectual de Viena. El Festival de Viena y el Festival de Cine Viennale son atracciones de interés mundial.

Otro de sus atractivos es su fama de ser una ciudad amable. La cortesía de sus habitantes se dice que procede de los tiempos

Enrique II Jasomirgott, de la dinastía de los Babenberg, mandó construir esta iglesia fuera de las murallas románicas de la ciudad. El templo fue consagrado en 1147, completado en 1164 y desde 1220 es conocido con el nombre de San Esteban. Las dos torres occidentales reciben el nombre de Torres de los Paganos, debido a que se construyeron con material sacado de los campamentos romanos "paganos". Después del incendio ocurrido en 1258 fue necesaria una sustancial renovación que afectó principalmente a las Torres de los Paganos, los matroneos occidentales y la Riesentor (Puerta de los Gigantes, cuyo nombre deriva probablemente del medio-alto-alemán, con referencia quizás a las altas agujas o a los gigantescos huesos de mamut, que estuvieron un tiempo expuestos aquí).

Entre los años 1304-1340 fue introducido el Coro Albertino (cuyo nombre proviene de Alberto I). El coro central fue consagrado a Cristo y a San Esteban, el coro norte, a la izquierda, a la Virgen y el coro sur, a la derecha, a los apóstoles. En este espacio se ubicó el sepulcro del emperador Federico III, cuya piedra tumbal, con el vestido oficial de la coronación, data de 1467.

La forma actual de la catedral no ha sufrido transformaciones desde 1500, fecha en la que se llevaron a cabo una serie de remodelaciones en estilo gótico.

La nave gótica fue construida en forma de concha alrededor de la basílica románica para que se pudieran seguir celebrando las misas. La fachada occidental fue ampliada con la construcción de dos capillas, situadas una encima de la otra, al lado de las dos torres. En 1426 la vieja iglesia interior fue derrumbada y en 1433 se completó la Torre Sur, llamada Steffl, el más hermoso campanario del gótico alemán de 136,44 metros de altura.

En 1945 el techo fue destruido por un incendio; la Pummerig, la campana realizada con el bronce de un cañón turco, cayó haciéndose añicos. Inestimables obras de arte se perdieron, pero los donativos de los nueve estados federados permitieron la reconstrucción. También la campana fue fundida de nuevo en 1952, y desde entonces da la bienvenida al año nuevo desde la Torre Norte.

• Panorámica de la ciudad con la Catedral de San Esteban al fondo

Pasando por la Puerta de los Gigantes se accede a la nave central. A la izquierda se encuentra la tumba del príncipe Eugenio de Saboya (1754) en la Capilla del Crucifijo. A la derecha se halla la Capilla de los Duques donde se ubica el altar de San Valentín de 1507 y la Casa de la Madre de Dios que data del siglo XIV.

Torre Norte

En el pronaos se encuentra *El Cristo del dolor de muelas*. Cuenta la leyenda que algunos jóvenes nobles fueron castigados por sus palabras blasfemas con un fuerte dolor de muelas que desapareció después de haber declarado su arrepentimiento frente al crucifijo. Un ascensor permite subir a lo alto de la torre desde donde se contemplan unas maravillosas vistas de la ciudad.

Púlpito

Las figuras superiores del púlpito representan a los cuatros padres de la iglesia. Sobre la escalera hay un perro, símbolo del predicador, que prohibe el paso a los sapos y lagartijas, símbolos del mal. Esta insólita imagen traduce un juego de palabras: los predicadores eran a menudo dominicos (en latín "dominicanes") por lo cual "Domini-cannes" ha sido interpretado como cannes del señor.

Caminando por la nave lateral derecha hasta la Torre Sur se observa, bajo un baldaquín de estilo gótico tardío, el *Altar de María Pötsch*, famoso por el milagro de las lágrimas. Esta obra de arte procede de Hungría y fue trasladada a Viena en 1697 por voluntad del emperador Leopoldo I.

Una leyenda relata que una sirvienta, injustamente acusada de robo, rezó fervorosamente delante de la Virgen de la Torre Sur y fue perdonada. Esta es la razón por la que a la estatua se la llamó *Virgen de la Sierva*.

— Graben —

Es el antiguo foso de la muralla romana, que fue abierto hacia el 1200 durante las obras de ampliación de la ciudad, convirtiéndose en una importante arteria de la vida de la urbe. Durante muchos siglos fue el lugar donde se organizaba el mercado alimenticio, pero en nuestros días se trata de una calle peatonal que concentra gran parte de los comercios y grandes fachadas en estilo florido o neoclásico. En el centro del Graben se encuentra la **Columna de la Peste**. Su origen se remonta a 1679, año en que el emperador Leopoldo I pronunció un elogio de agradecimiento por el cese de la epidemia de la peste.

— Iglesia de — San Pedro

• Iglesia de San Pedro

Muy próxima al Graben se encuentra esta iglesia, la segunda más antigua de Viena aunque fue restaurada a principios del siglo XVIII en estilo barroco. Cuenta la leyenda que Carlomagno en el 792 se detuvo en esta zona para defenderse del peligro de los ávaros que procedían del este, y aquí fundó una iglesia sobre las piedras de un edificio romano del siglo IV. Un relieve de mármol en la parte externa de la iglesia narra este acontecimiento, que no está probado históricamente.

Aunque en 1708 se completó la primera construcción, las dos torres inclinadas fueron levantadas en 1733. Éstas dan a la fachada cóncava un aspecto dinámico, que la injerta en los pequeños espacios de la ciudad vieja. En la decoración de los interiores participaron los mejores artistas austríacos del Barroco y los más famosos pintores del siglo XIX. En la cúpula central destaca el fresco de *La anunciación*

• Karntherstrasse

de la Virgen. Enfrente del púlpito vemos *La caída de San Juan Ne-pomuceno en Moldavia*, un grupo de madera dorada de 1729. Este santo fue lanzado a las aguas del río Moldava a finales del siglo XIV por negarse a revelar al monarca lo que en confesión le contaba la reina. Su lengua incorrupta todavía se conserva en la Catedral de Praga y se invoca al Nepomuceno para guardar un secreto o cuando se levanta un falso testimonio.

Las figuras de plomo del arimez del portal representan a algunos ángeles con los escudos papales y la Fe, la Esperanza y el Amor.

— Reloj de la Anker — (Ankeruhr)

En 1913 el pintor Franz von Marsch colocó un reloj artístico en el arco ojival que va del edificio de la compañía de seguros Anker (Hoher Markt, 10) al número 11 del edificio. Gracias a su particular mecánica, cada día a las doce en punto, algunas estatuas, que representan personajes históricos de Austria, desfilan en trajes de parada al toque de la música. Las figuras representan a Marco Aurelio, Carlomagno, el duque Alberto VI y su mujer Teodora de Bizancio, Walther von der Vogelweide, Rodolfo I de Habsburgo con su esposa Ana de Hohenberg, Hans Puchsbaum, Maximiliano I, Andreas von Lie-benberg, Rüdiger von Starhem-berg, el príncipe Eugenio de Saboya, la emperatriz María Teresa con su esposo Francisco de Lorena y Joseph Haydn.

— Iglesia de María — en la Orilla (Maria am gestade)

De esta iglesia, conocida también con el nombre de "María de las escaleras" se tiene documentación oficial a partir de 1158. Construida sobre murallas romanas, se alza sobre el acantilado de la ciudad antigua en dirección al único brazo del Danubio. En el siglo IX los navegantes del Danubio erigieron en este lugar una capilla de madera. La iglesia románica fue destruida por un incendio en 1262 y en el siglo XIV se levantó una nueva construcción de estilo gótico. La fachada occidental, el campanario poligonal de 56 metros de altura, la cúpula en filigrana y las vidrieras de los siglos XIV y XV son los testimonios más representativos de la Viena gótica que han llegado a nuestros días. En la parte derecha de la nave se encuentra el sarcófago del patrono de Viena, el santo Klemens Maria Horbauer (1758-1820).

— Hobfurg —
(Palacio Imperial)

El verdadero centro del poder secular de los soberanos austríacos se encontraba en este palacio. Desde 1493 hasta 1806 fue residencia de los reyes y de los emperadores románicos y germánicos, y desde 1804 hasta 1918 de los emperadores austríacos. Algunos datos nos dan ideas de sus grandes magnitudes. El palacio está dividido en 18 alas, tiene 54 escalinatas y 19 patios y aproximadamente 2.600 habitaciones.

Según la tradición, cuando un soberano llegaba a palacio no ocupaba las habitaciones que habían utilizado sus anteriores habitantes. Este es el motivo de que las sucesivas ampliaciones hayan dado como resultado un conjunto extremadamente heterogéneo.

PLAZA DE LOS HÉROES (HELDENPLATZ)

Las tropas francesas en retirada hicieron volar el antiguo portón del palacio de época leopoldiana, además del bastión. Tras la demolición de los restos de la fortaleza, se realizó la plaza de los Héroes que quedó flanqueada por las estatuas ecuestres del príncipe Eugenio de Saboya, el gran general que venció a los turcos, y

• Plaza de los Héroes

• Plaza de los Héroes

del archiduque Carlos, el general que ganó la Batalla de Aspern contra Napoleón en 1809. La plaza está delimitada por la Puerta Nueva (Neue Tor), que en 1933 fue dedicada a los caídos de la Primera Guerra Mundial. Desde 1945 la puerta reserva un espacio para la conmemoración de los caídos para la libertad de Austria durante el periodo nazi. Precisamente en esta plaza fue donde Hitler desde el balcón central del Nuevo Palacio proclamó la anexión de Austria a la Alemania del Tercer Reich en 1938.

Nuevo Palacio Imperial (Neue Hofburg)

El proyecto inicial pretendía realizar un Foro Imperial enlazando mediante un arco triunfal a los museos de Bellas Artes y de la Historia Natural. Su construcción, que comenzó en 1897, se prolongó hasta 1908, durante el reinado de Francisco José. El edificio presenta una fachada cóncava de grandiosas proporciones, cuyo piso superior está caracterizado por columnas. Hoy es sede de algunas secciones de la Biblioteca Nacional. En el mismo edificio se visita una importante colección de armas y armaduras. La colección de instrumentos musicales antiguos (Kunsthirorisches Museum) cuenta con un sistema guiado que permite escuchar el sonido de los instrumentos que se están admirando. Desde 1978, también hospeda el Museo de Éfeso ya que los arqueólogos austríacos participaron activamente en las excavaciones de la antigua Éfeso. Este edificio alberga también el Museo Etnográfico.

Patio de los Suizos (Scheweizerhof)

El denominado Patio de los Suizos es la parte más antigua del palacio y representa el núcleo del conjunto del antiguo castillo medieval, en tiempos protegido por sus cuatro torres angulares. El nombre procede de los guardias suizos al servicio de la emperatriz María Teresa. Frente al ala Leopoldiana se encuentra la Cancillería Imperial. La plaza está limitada finalmente por el castillo de Amalia, y da acceso a la Capilla Imperial y a las salas del Tesoro Imperial. En el portal suizo una inscripción recuerda a Fernando I como fundador (1552): "Fernando, rey de los Romanos, de los Germánicos, de los Húngaros, de los Bohemios, etc., Infante de España, Archiduque de Austria, Duque de Burgundia, etc."

La **Capilla Imperial** (Hofburgkapelle), dedicada a la asunción de la Virgen, fue construida bajo el emperador Federico III (1447-49). Con el tiempo fue adquiriendo formas barrocas y neogóticas como se aprecia en el púlpito. Todos los días de fiesta y los domingos se celebran misas solemnes en la capilla con la participación del coro vienés de los niños y de los miembros de la Filarmónica Vienesa.

Las salas del **Tesoro Imperial** tienen su origen en las salas de arte fundadas en 1533 por el emperador Fernando I, que a lo largo de los diferentes siglos fueron ampliadas. La compleja cerradura de la puerta de entrada muestra las iniciales del emperador Carlos VI, que depositó en este lugar sus tesoros en 1712. Las piezas más valiosas son la Corona Imperial del Sacro Imperio Romano, la Corona Imperial Austríaca y los vestidos de la Orden del Becerro de Oro, orden de la casa de los Habsburgo. En el apartado religioso destaca el tesoro de la capilla del Hofburg y las Reliquias de la Cripta Imperial.

Cancillería Imperial (Reichskanzleitrakt)

Este edificio fue durante un tiempo sede del Consejo Imperial, la autoridad principal del Sacro Imperio Romano. Las partes más in-

teresantes de este ala la componen los apartamentos imperiales del emperador Francisco José I y la representativa Sala de las Audiencias, así como las habitaciones en las que vivió el Duque de Reichstadt.

CASTILLO DE AMALIA (AMALIENBURG)

La construcción de este castillo comenzó en tiempos del emperador Rodolfo II, en 1575. El zar Alejandro vivió aquí durante el Congreso de Viena (1814-1815) y más tarde la emperatriz Elisabeth, Sissí, ocupó estos apartamentos. El nombre le fue dado a comienzos del siglo XVIII, cuando la viuda del emperador José I, Wilhelminme Amalie, habitaba en este castillo. En la torre del ala se observa un reloj solar que luce una esfera de fases lunares.

ALA LEOPOLDIANA (LEOPOLDINISCHER TRAKT)

Este ala fue erigida durante el reinado del emperador Leopoldo I entre 1660-66 y fue reconstruida por Domenico Carlone en 1681 tras un incendio. Contiene las habitaciones y las salas de ceremonia de María Teresa y su esposo, el emperador Francisco Esteban I. Junto al apartamento de José II, desde 1946 estas habitaciones son la sede de las oficinas del jefe de Estado.

En el edificio que comunica con el viejo castillo se encuentra la Gran Sala de las Ceremonias y la Sala del Consejo Secreto, que desde 1958 son utilizadas por el Centro de Conferencias del Palacio Imperial. Las habitaciones imperiales se visitan con guía. En el comedor de la Corte y la

• Palacio Imperial (Hofburg)

• Escuela Española de Equitación

Sala de la Plata se muestran algunos servicios de mesa de la casa imperial como el llamado Triunfo de la mesa de Milán o el servicio de Vermeil.

ALA DE SAN MIGUEL Y PLAZA DE SAN MIGUEL

Pasando de la Plaza Imperial, cruzando la puerta de la Cancillería Imperial, hacia la plaza de San Miguel se llega al campanario octogonal de este ala, una construcción de la época de la Ringstrasse (1893) que enlaza la Cancillería Imperial a la Escuela de Equitación. El portal de la fachada que da a la plaza de San Miguel tiene su decoración inspirada en la historia mítica de Hércules. En los nichos de los ángulos se observan dos fuentes monumentales que representan el dominio terrestre una, y la otra el dominio marítimo.

IGLESIA DE SAN MIGUEL (MICHAELERKIRCHE)

La Iglesia de San Miguel es la segunda iglesia parroquial de la ciudad de Viena, que hasta 1784 fue la iglesia de la corte. Aunque fue construida hacia la mitad del siglo XIII, su forma actual procede de 1792, cuando se realizó la fachada en estilo neoclásico.

ESCUELA ESPAÑOLA DE EQUITACIÓN (SPANISCHE REITSCHULE)

Fischer von Erlach completó en 1735 la Escuela de Equitación de invierno, donde en la actualidad tienen lugar las exhibiciones de equitación artística clásica, que corren a cargo de los jinetes de la Escuela Española de Equitación. Los caballos lipizanos se criaban en Lipiza desde 1580, pero hoy en día lo hace la cuadra federal de Piber, en Estiria.

La Sala de Manejo de invierno, donde destacan la galería de las columnas y la logia imperial, fue un lugar de solemnes ceremonias y fiestas de corte durante el Congreso de Viena.

Los establos de la Escuela Española están situados en la planta baja de la cuadra imperial. Curiosamente este edificio fue construido como mansión para el futuro emperador Maximiliano II en 1558, pero siempre fue utilizado como cuadras.

Plaza de José II

En el centro de la plaza destaca el monumento ecuestre de José II. A la derecha está cerrada por el denominado saloncito y salas de concierto y ceremonias, y a la izquierda se encuentra la Biblioteca Nacional. El emperador Carlos VI la encargó construir como Biblioteca Imperial, pero fue ampliada considerablemente con la biblioteca del príncipe Eugenio. Hoy cuenta con más de 2,2 millones de manuscritos e impresos. La cúpula de la sala principal conserva un fresco de 1730 en honor de Carlos VI.

—— (Jardín Imperial) —— Burggarten

Situado detrás del Palacio Imperial Nuevo, al lado del monumento a Goethe, se descubre la entrada al Jardín Imperial, que ofrece una hermosa vista de la fachada del Ala Nueva del Palacio. El parque fue realizado en 1818, junto con el jardín público en la zona en que se abatió el bastión. El monumento más representativo de este parque es el dedicado a Mozart, frente a la salida del parque hacia el bulevar. También se levantaron monu-

• Estancia del Palacio Imperial

mentos a Francisco José I y Francisco I. En el paseo por el parque encontrará el invernadero de modernismo vienés, obra de Friedrich Ohmann (1901-1905).

— *Arteria del Ring* — *(Ringstrasse)*

El 20 de diciembre de 1857 el emperador Francisco José I dio el permiso oportuno para demoler los bastiones y las fortificaciones que limitaban la ciudad, y para utilizar las demás áreas. En 1859 aprobó los planos y en 1865 fue inaugurado oficialmente. Así se obtuvo el espacio para la creación de lo que hoy se llama Ringstrasse. La frenética actividad constructiva que se produjo después dio a esos años la denominación de "época de la Ringstrasse". Arquitectos de todo el mundo respondieron a la llamada del monarca y acudieron a Viena, para no perder la oportunidad urbanística que les daba la construcción de todo un barrio en una zona céntrica en un área sin edificar. Aunque se siguieron las líneas del siglo XIX, se emplearon un gran número de distintos estilos historicistas, y llegó a lograrse un conjunto armonioso, que hoy es protegido como conjunto histórico-artístico sin par en toda Europa, gracias a que los daños causados por la Segunda Guerra Mundial se pudieron subsanar.

A lo largo de la nueva grandiosa avenida se levantaron los edificios institucionales, los teatros, la universidad, la ópera, los museos y una serie de palacios particulares.

— *Parque Ciudadano* — *(Stadtpark)*

El parque fue proyectado en 1862 dentro de la sistematización del Ring. Friedrich Ohmann se ocupó de la arquitectura de la entrada y realizó los pabellones cercanos al curso de agua Wien, que cruza todo el parque.

El monumento a Franz Schubert es una donación de la Sociedad Vienesa de Coros Masculinos. Schubert nació en 1797 y fue

• Monumento a Johann Strauss en Stadtpark

alumno de Salieri, el maestro de orquesta de corte que según se ha dicho, con falta de base, envenenó a Mozart. Schubert, el príncipe de los Lieder, murió muy joven a causa del tifus.

Otro inmortal vienés, el rey del vals, Johann Strauss (1825-1899), también tiene su estatua en este parque. La comunidad de Viena y un comité privado financiaron esta bella escultura de bronce con arco de relieve inaugurada en 1921. Strauss está representado tocando el violín.

— Teatro de la Ópera —

El Teatro de la Ópera fue construido en 1862 y fue el primer edificio levantado en el Ring. Los arquitectos August von Siccardsburg y Eduard van der Nüll realizaron el teatro lírico de la Ópera en estilo renacentista, por ser el Renacimiento cuna de las artes líricas. Pero fueron criticados profundamente por tratarse de un coliseo más bajo y achaparrado que la Ópera-Garnier de París. El rechazo de su obra llevó a Van der Nüll al suicidio y causó la muerte por infarto de Siccardsburg. Cuando en 1869 fue inaugurado el Teatro de la Ópera con El *Don Juan de Mozart*, los dos arquitectos habían muerto.

En los arcos abiertos en la logia de los dos pisos que se asoman a la Ringstrasse encontramos cinco estatuas en bronce de Ernst J. Hähnel que representan el heroísmo, el drama, la fantasía, la comicidad y el amor. Los frescos de *La flauta mágica* de la logia son obra de Moritz von Schwind.

• Baile de la Ópera

Los bailes

La tradición de todas las cortes europeas de celebrar bailes tiene todavía hoy su lugar, y de honor, en Viena, aunque cada región de Austria celebra su propio baile. La temporada de bailes se abre el 31 de diciembre con el Baile del Emperador que se celebra en Hofburg, pero el más famoso es el Baile de la Ópera. Allí se dan cita representantes de la política internacional, estrellas del cine, del teatro, de la música, artistas, deportistas, y antiguas familias de industriales y aristócratas. La época, de mediados de enero a mediados de febrero, corresponde al periodo de carnaval que precede a la cuaresma. En estos bailes se unen la aristocracia y el dinero, pero las tradiciones siguen siendo sagradas. Las jóvenes de la nobleza o de familias ricas aprovechan estos acontecimientos para ponerse de largo. La indumentaria es fundamental, para los hombres el traje de etiqueta o uniforme y las mujeres traje largo o el traje nacional.

En 1945 se quemó la Ópera durante un bombardeo. Se dice que el piloto americano confundió el tejado de cobre con el de la estación de ferrocarril. Otras versiones apuntan a los delirios de Goebbels, el gobernador nazi con sede en Viena, que hubiese ordenado el incendio de la Ópera durante la representación del último acto de *El ocaso de los dioses*, de Wagner, coincidiendo con el incendio escénico del Walhala de los dioses germánicos. Sólo sobrevivió la escalera y su caja. En el siniestro desaparecieron decorados de más de 120 óperas y cerca de 80.000 trajes. La reconstrucción duró 10 años. En noviembre de 1955 se celebró la inauguración conmemorativa con la obra de Beethoven, *Fidelio*. Del estilo original sólo se conserva la escalinata principal, la fachada, el salón Schwind y el salón de té o de entreactos. El resto es una reconstrucción de los años cincuenta, sobria y funcional.

— Plaza de — María Teresa

La plaza de María Teresa está flanqueada por dos edificios simétricos, antiguos palacios que en la actualidad albergan el Museo de Historia del Arte y el de Ciencias Naturales. Al fondo de la plaza se encuentran los antiguos Establos de Corte, construidos en estilo barroco entre 1723 y 1725, que hoy en día alojan el Palacio de Ferias y Exposiciones. El monumento a María Teresa fue construido por Zumbusch y Carl Hasenauer en 1874-88. El primero se ocupó de las estatuas, el segundo de la implantación arquitectónica. Las estatuas ecuestres de la parte inferior representan a los generales Laudon, Daun, Khevenhüller y Abensberg-Traun. Bajo la parte central están representados los consejeros de la emperatriz, Kaunitz, Haugwitz, Liechtenstein y Van Swieten. En los altos relieves de los arcos se recuerda a notables personalidades como Mozart, Gluck y Haydn. El monumento está coronado con la estatua de María Teresa en el trono.

Ambos museos junto con la nueva construcción del Palacio Imperial (Hofburg) forman parte del llamado Foro Imperial, que hubiera estado compuesto aún por otro

• Musikuerein

• Casa de conciertos

complejo monumental igual al nuevo Hofburg y dos arcos de triunfo que hubieran unido el palacio con los museos. Los museos, construidos simétricamente inspirados en las formas del Renacimiento, se diferencian sólo por las estatuas de la fachada. En el de Historia del Arte encontramos personalidades y alegorías de las artes y en el de Ciencias Naturales, figuras de importantes científicos y alegorías de las fuerzas de la naturaleza.

— Museo de — Historia del Arte

Las pinturas de las bóvedas de las escaleras del Museo de Historia del Arte muestran una apoteosis del arte, las 12 lunetas de Hans Makart presentan como tema principal a grandes pintores y sus musas. El conjunto se completa con las cuarenta obras de Ernst y Gustav Klimt. El grupo escultórico de mármol *Teseo vence al centauro* de Cánova, que se encontraba delante del Templo de Teseo en el jardín público, se puede contemplar al pie de la escalinata principal del museo.

En sus salas alberga una colección egipcia y de antigüedades, que incluye piezas griegas, etruscas, romanas, del cristianismo y hasta del medievo. También cuenta con una colección de escultura y de tejido artesanal, y la famosa galería de cuadros con obras de Velázquez, Tiziano, Tintoretto, Rafael, Caravaggio, Tiépolo, Canaletto y Rembrandt, entre otros. El museo además muestra una colección de medallas, monedas y signos fiduciarios, retratos Ambraser y la galería secundaria de la colección de pinturas.

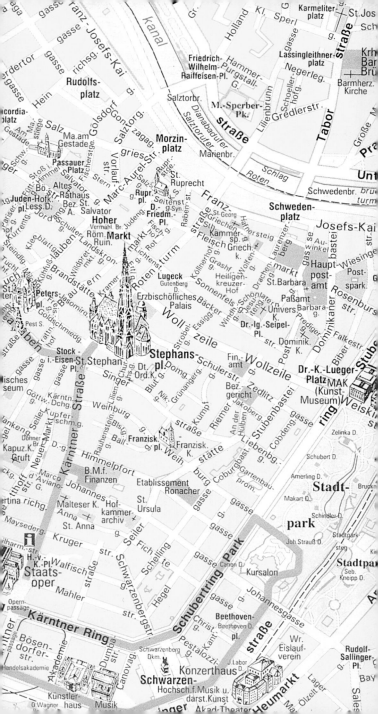

— Museo de — Ciencias Naturales

La pintura de la bóveda de Hans Canon describe "la corriente de la vida". El emperador Francisco I, esposo de María Teresa, contribuyó al origen del museo con sus colecciones privadas. Más tarde durante el reinado de Francisco José, el museo fue ampliado y enriquecido. Está dividido en secciones, mineralógica, prehistórica, antropológica, zoológica y botánica.

— El Parlamento —

Theophil Hansen creó en 1874-83 su obra maestra con el edificio del Consejo del Reino de la Monarquía austro-húngara. Desde 1918 este edificio del Parlamento es la sede del Consejo Nacional y del Consejo Federal de la República Austríaca.

El estilo arquitectónico de la fachada muestra una clara influencia del arte griego antiguo (no hay que olvidar que Grecia fue la cuna de la democracia). El pórtico con sus ocho columnas corintias está claramente inspirado en antiguas formas de los templos griegos. Una gran doble rampa lleva al pórtico, pasando delante de estatuas de mármol de personajes famosos, y está flanqueada por estatuas en bronce de domadores de caballos. En la fachada está representada la "concesión de la constitución a los pueblos de Austria en 1861 por Francisco José I". *La Diosa de la Sabiduría, el Conocimiento y la*

• Fiaker frente al Parlamento

34

Paz, de cuatro metros de altura, es la figura principal de la Fuente de Palas Atenea, obra de Carl Kundmann (1902), situada frente a la fachada principal. Por eso los vieneses dicen con picardía que estas virtudes se quedaron fuera del Parlamento. A los pies de la diosa encontramos a los personajes más importantes de la casa imperial. Las representaciones del poder legislativo y del poder ejecutivo son obras de J. Tautenhayn. A los pies de la diosa juguetean los dioses fluviales del Danubio, el Inn, el Elba y el Moldau, los ríos más importantes de la antigua Austria.

Los dos largos edificios laterales que se hallan en las alas del cuerpo central terminan con dos pabellones angulares en forma de templete, ligeramente sobresalientes. En el ala norte se encuentra la Sala de Conferencias del Consejo Nacional, que en la época de la Monarquía era la Casa de los Diputados, y en el ala sur se encuentra la sala del Consejo Federal, antiguamente la Casa de los Caballeros.

—— Jardín Público ——

Cuando las tropas francesas se retiraron en 1809, volaron el bastión delante del Palacio Imperial. En ese espacio se crearon dos jardines: el Burg o Kaisergaten, el jardín imperial que hoy se encuentra entre el nuevo Palacio Imperial y la Ópera, y el Volksgarten o jardín público, que está abierto al público, ubicado entre el Teatro de la Corte y la plaza de los Héroes. En el jardín público, junto al Templo de Teseo y al monumento a Grillparzer, se encuentra el monumento de mármol a la emperatriz Sissí, quien falleció en un atentado perpetrado en Ginebra en 1898.

El Templo de Teseo, de Peter Nobile (1823), es una copia del Theseion de Atenas. Originalmente el templo albergaba el grupo escultórico *Teseo vence al minotauro* de Antonio Cánova, obra que en la actualidad se encuentra en el Museo de Historia del Arte.

– Nuevo Ayuntamiento – (Neues Rathaus)

El grandioso palacio del Ayuntamiento, construido por Friedrich Schmidt, arquitecto de la catedral, en estilo neogótico, está separado de la avenida del Ring por el parque del Ayuntamiento, lo que permite contemplar su fachada con la perspectiva suficiente. En la cúspide de la torre media, de 98 metros de altura, se encuentra el vigía del Ayuntamiento de 3,4 metros, el cual es distintivo de la ciudad. Se trata de una estatua de Alexander Nehr que imita a la ecuestre del emperador Maximiliano I perteneciente a la colección de armaduras.

• Festival de cine frente
al Ayuntamiento

En el imponente patio de arcadas se celebran regularmente en verano y al aire libre los llamados Conciertos de los Arcos, y en el paseo, que comunica el edificio del Ayuntamiento con el Teatro de la Corte, en verano se llena de casetas con muestras gastronómicas de distintos países. Allí es posible comer incluso una paella. En Navidad, en este mismo lugar, se instala el típico mercado navideño, tan tradicional en los países del norte.

— Teatro Nacional — (Burgtheater)

El teatro de la Michaelerplatz, que José II convirtió en 1776 en Teatro Nacional Alemán, tuvo que dejar paso a las nuevas construcciones del Hofburg du-rante la Era de la Avenida del Ring. Entonces, en sustitución, se levantó el nuevo Teatro de la Corte Imperial (1874-1888). Gottfried Semper fue el encargado de proyectar la estructura exterior y Carl Hasenauer la decoración del interior. Ambos tomaron como modelo el arte renacentista italiano.

Sobre el ático de la construcción media se encuentra *El cortejo de Baco*, un bajorrelieve de Rudolf Weyt. Carl Kundmann creó, para la balaustrada superior, el grupo de esculturas *Apolo con las musas Melpomene y Talia*. Las pinturas del techo sobre suntuosas escaleras de las alas laterales son de Gustav y Ernst Klimt y Franz Matsch que entonces, muy

• Concierto de año nuevo de la
Filarmónica de Viena

jóvenes, trabajaban juntos en la compañía de los artistas. Nueve bustos de grandes autores dramáticos decoran las hornacinas de la planta noble. A la derecha está representada Austria, con Halm, Grillparzer y Hebbel. En el centro, la gran poesía dramática del Romanticismo alemán con Goethe, Lessing y Schiller. Finalmente, el lateral izquierdo acoge a los maestros extranjeros: Molière (por Francia), Shakespeare (por Inglaterra) y Calderón de la Barca (por España). Todavía hoy es considerado uno de los más importantes teatros de prosa en lengua alemana.

– La Nueva Universidad –

Este edificio fue planificado por Heinrich Ferstel y se construyó entre 1873 y 1883 en el estilo del Renacimiento italiano. Hoy es la sede de la universidad, fundada en 1365 por el archiduque Rodolfo IV, una de las más antiguas del ámbito alemán. El saliente medio de la fachada principal está construido en forma de logia renacentista de dos naves, sobre las cuales se alza un techo en forma de cúpula. Los monumentos a los numerosos y famosos profesores en el bello Patio de Arcadas rememoran la larga tradición del Alma Mater Rudolphina.

— Iglesia Votiva — (Votivikirche)

El emperador Francisco José resultó ileso del atentado que sufrió en 1853. Un sastre húngaro le provocó una herida en la nuca con unas tijeras. Gracias al grito de advertencia de un carnicero que pasaba por allí, el húngaro no logró sus intenciones. Al amanecer siguiente, el sastre fue ahorcado y el carnicero fue nombrado conde. Aún hoy existe el condado Ettenreich que fue conocido durante muchos años como el de los condes carniceros. Cuando Francisco José se hubo recuperado, su hermano, el archiduque Maximiliano (quien llegó a tomar la corona de México por consejo del emperador francés Napoleón III, y allí fue fusilado) ordenó construir la iglesia del Voto de Nuestro Señor el Redentor como muestra de agradecimiento.

La iglesia Votiva fue construida en 1856-79 por Heinrich Ferstel, que imitó el estilo de las iglesias góticas francesas. Presenta tres naves y dos torres de casi 100 metros de altura. En la capilla bautismal se encuentra la tumba del conde Niklas Graf Salm, que defendió a Viena contra los turcos. A la derecha del Altar Mayor se encuentra el *Altar de Anversa*, una obra de marquetería flamenca del siglo XV.

— *Belvedere* —

El príncipe Eugenio de Saboya, cuando aún era joven mariscal, adquirió en 1693 un solar en una colina frente a las murallas de Viena para construirse un palacio de verano.

Eugenio de Saboya, de origen francés, intentó ingresar en el ejército del rey Sol. En París lo recibe Luis XIV, pero es rechazado como soldado debido a su físico, ya que era bajito, jorobado y contrahecho. El joven Eugenio jura entonces regresar algún día al frente de un ejército, algo que después de unos años ocurriría.

Tras la negativa francesa decide dirigirse a Austria, donde el emperador Leopoldo I, en una situación angustiosa por la amenaza turca y la peste, no rechaza soldados que quieran luchar por su causa.

Eugenio servirá al ejército austríaco bajo tres emperadores: Leopoldo I, su hijo José I y el hermano de éste, Carlos VI. Llegó a ser generalísimo de los ejércitos imperiales y consejero aúlico, y amasó una gran fortuna que superaba incluso a la de los Habsburgo. Tras el último asedio turco, Eugenio de Saboya fue llamado "Vencedor de los Turcos" y "Espada de los Habsburgo". Hombre de acción pero con una sensibilidad especial para las bellas artes, fue un gran mecenas. Disponía de enviados en los puertos del Atlántico y el Mediterráneo para que adquirieran todos los objetos raros o curiosos que encontraran.

A su muerte en 1736 sin descendencia, su sobrina subastó y malvendió sus colecciones y hermosos palacios, aunque la mayoría pasó a manos de los Habsburgo.

• Niños Cantores de Viena

Gustav Klimt

Nació en Viena en 1862. Hijo de un orfebre y decorador, entró muy joven junto con su hermano Ernst en la Escuela de Artes y Oficios donde permaneció siete años. A los 18 años recibió sus primeros encargos para decorar algunos palacios. Fue galardonado con el Premio del Emperador en 1888. Nueve años más tarde se fundó en Viena la Secesión, que reúne a los artistas más jóvenes, entre los que se encuentra Klimt, que quieren romper con los moldes preestablecidos y contra el academicismo. Años más tarde, en su constante evolución hacia nuevas tendencias, hace una incursión en el arte oriental, pero sus mejores tra-

bajos se producen a partir de su contacto con el arte italiano, que conoce en su viaje a Italia de 1903. Dos años más tarde dejó la Secesión, y su pintura fue en sus últimos años mucho más abstracta y simbolista. De esta época es su obra más conocida, *El beso*. Tanto en sus paisajes como en sus retratos de mujeres, Klimt utilizó la estilización geométrica que confunde figura y fondo en una misma polvareda cromática. Gustav Klimt muere de pulmonía en 1918 en plena etapa creativa.

En su mejor época, Eugenio de Saboya encargó a Lukas von Hildebrandt las obras de su residencia veraniega, quien creó uno de los palacios más esplendorosos del Barroco. El proyecto, compuesto por dos edificios, fue financiado con las rentas obtenidas por sus gloriosas campañas militares y con los ingresos por su lugartenencia en los Países Bajos.

El Belvedere Superior, construido entre 1721 y 1722, fue destinado exclusivamente a fiestas y representación. Desde este lugar se contemplan posiblemente las mejores vistas de la ciudad, incluidas las colinas de los bosques de Viena. El edificio principal es, sin em-

• Belvedere Superior

bargo, el Belvedere Inferior. Fue construido al pie de la colina entre 1714 y 1716, y sirvió de residencia al príncipe de Saboya, además de alojar su espléndida colección de arte. Ambos edificios están comunicados por un espléndido jardín, obra de Dominique Girard, adornado con estatuas, fuentes y cascadas de cuyo esplendor original ya sólo quedan vestigios.

Hacia 1775 José II trajo aquí la colección de arte de la corte, que fue ampliada en 1806 con la procedente del Castillo de Ambras, en el Tirol, zona que fue incorporada a Bavaria bajo Napoleón. En 1890 estas colecciones fueron trasladadas al Museo de Historia del Arte que acababa de construirse.

Antes de la Primera Guerra Mundial el Belvedere Superior fue la residencia del sucesor al trono Francisco Fernando, que sería asesinado en Sarajevo. Después de la Segunda Guerra Mundial, el 15 de mayo de 1955 se firmó en el Salón de Mármol del Belvedere Superior, el Tratado de Estado Austríaco con los ministros de asuntos exteriores Dulles (Estados Unidos), Macmillan (Gran Bretaña), Molotov (Rusia), Pinay (Francia) y Figl (Austria). Este tratado decretaba el término de la ocupación del territorio austríaco por parte de las potencias que ganaron la Segunda Guerra Mundial. En la actualidad el Belvedere forma parte de la Galería Austríaca y hospeda varios museos.

BELVEDERE INFERIOR

El Belvedere Inferior alberga en su interior el **Museo Barroco Austríaco**, que ofrece un panorama de la escultura y de la pintura de los siglos XVII-XVIII. En este museo destaca la famosa *Apoteosis del Príncipe Eugenio*, que representa a Eugenio de Saboya bajo los rasgos de Hércules aplastando a la envidia mientras intenta impedir que la fama se lleve a los labios la trompeta de su gloria. En el invernadero de naranjos (la Orangerie) se encuentra el **Museo Austríaco de Arte Medieval**, con obras del siglo XII al XVI, entre las que se encuentran retablos, altares y tablas de la época gótica.

El Belvedere Superior hospeda la **Galería de los siglos XIX y XX**, con secciones dedicadas al Clasicismo, al Biedermermeier, al estilo de la Ringstrasse, al Jugendstil y la más grande colección de obras de Gustav Klimt, entre las que se pueden admirar *El retrato de Sonja Knips*, *Judit con la cabeza de Holofernes*, *El Beso* y *Adán y Eva*. También se exhiben numerosas obras de Egon Schiele, como *La Muerte y la Doncella*, *Cuatro árboles*, *La mujer del artista* y *La familia*. En las antiguas caballerizas cuelgan las obras de los expresionistas Richard Gerstl y Oscar Kokoschka.

– Iglesia de San Carlos – (Karlskirche)

Cuando Viena fue asolada por la peste, el emperador Carlos VI en 1713 realizó votos a su patrono, San Carlos Borromeo, patrón de la peste en Italia, de construir una iglesia si la epidemia terminaba. El proyecto fue comenzado por Johann Bernhard Fischer von Erlach, pero tuvo que ser terminado por su hijo Joseph Emanuel a la muerte del arquitecto. En su diseño, de estilo barroco, muestra una gran influencia de la arquitectura griega y romana junto con algunas

• Iglesia de San Carlos

reminiscencias francesas e italianas. El pórtico recuerda a los templos antiguos con dos columnas triunfales, a modo de las columnas Trajanas de Roma, que flanquean el frontón, decorado con el bajorrelieve *La extinción de la Peste*. A lo largo de las dos columnas se desarrollan relieves en espiral que narran la vida de San Carlos Borromeo. El cuerpo central queda rematado por una cúpula majestuosa de 72 metros de altura. El interior está dominado por el fresco de la cúpula donde se representa *La petición de San Carlos Borromeo a la Virgen María*, para que ruegue a la Santísima Trinidad que libere a la población de la peste.

• Vía San Carlo

— Edificio de la — Secesión

El 22 de mayo de 1897 un total de diecinueve artistas, frustrados ante el conservadurismo de la pintura académica vienesa, fundó el Movimiento de Secesión de los Artistas Austríacos de Artes Figurativas. Entre los promotores del nuevo movimiento se encontraban Josef Hoffmann, Gustav Klimt, Joseph María Olbrich y Otto Wagner, entre otros. Olbrich, discípulo de Otto Wagner, construyó en 1897-98 un edificio en el que se exhibirían las obras del grupo, justo enfrente de la Academia. Este edificio se llamó desde entonces Secesión y en su puerta se lee "A cada época su arte, a cada arte su libertad". Klimt diseñó las puertas de entrada en metal, pero desgraciadamente no han llegado a nuestros días. El elemento más representativo de este edificio, en forma de cubo y sin ventanas, es la cúpula dorada totalmente hueca hecha con ramos de laurel de metal. El edificio, que horrorizó a los vieneses, fue bautizado popularmente con el nombre de "La casa con el repollo dorado". El tejado de vidrio permitía entrar la luz. El interior estaba formado por tabiques móviles que permitían una mayor flexibilidad en las exposiciones. Una sala de la planta baja se ha desti-

• Otto Wagner Pavillion

nado al *Friso de Beethoven*, obra de Gustav Klimt realizado en 1902, para el 75 aniversario de la muerte del compositor, dedicado a la novena sinfonía.

– Casas de Otto Wagner – (Wienzeile-Häuser)

En 1898 Otto Wagner hizo construir, en parte a su costa, dos edificios, la **Casa Mayólica** y la **Casa de los Medallones**, que respondían a su concepción arquitectónica con fachadas policromadas, trabajadas por Kolo Moser. Las casas fueron ubicadas en Wenzeil, donde se había proyectado una lujosa calle que uniría el Palacio Imperial con Schönbrunn. La casa Mayólica, en el número 40, recibe su nombre por la procedencia mayorquina de las cerámicas con las que fue realizada, y destaca por sus rojas decoraciones florales.

— Schönbrunn —

El Palacio de Schönbrunn fue encargado por Leopoldo I como castillo imperial de caza, para sustituir el que fue destruido durante el asedio de los turcos en 1683. El proyecto fue encomendado a Bernhard Fischer von Erlach que lo concibió con la pretensión de rivalizar con Versalles, aunque finalmente sólo fue construido en parte. María Teresa, nieta de Leopoldo I, fue quien le dio alma al palacio, hizo transformar el castillo en residencia veraniega imperial. En esta reforma se introdujo la Grande y la Pequeña Galería, el Gabinete Redondo y el Gabinete Oval, la escalinata de la entrada al patio y un piso intermedio para ganar más espacio para los aposentos de la corte. Todo ello al más puro estilo rococó austríaco.

• Palacio de Schönbrunn

Este palacio, con sus casi 1.400 habitaciones, ha sido testigo de importantes capítulos de la historia. En este lugar vivió provisionalmente Napoleón y fue donde su hijo vivió hasta su prematura muerte de tuberculosis. Francisco José I nació en este palacio en 1830 y utilizó esta residencia como su habitual lugar de trabajo. Fue también en Shönbrunn donde murió en 1916, durante la Primera Guerra Mundial. Su sucesor, Carlos I, también utilizó el palacio para renunciar al trono en 1918 y poner fin a la Monarquía en Austria. En 1955, cuando ya quedaba lejos la época imperial, fue ratificado en Schönbrunn el Tratado de Estado con el que se devolvía la libertad a Austria. En 1961 fue testigo de la cumbre entre Kennedy y Kruschef.

En un ala del palacio se muestran las dependencias de Francisco José, entre las que se encuentran la Sala de Guardia, la de Billar, la de Nogal, el estudio y el sobrio dormitorio, donde permanece la cama en la que murió a los 86 años. Esta zona está repleta de recuerdos y retratos de Francisco José, Sissí y Sofía, Gisela, Rodolfo y María Valeria, los cuatro hijos del matrimonio. Posteriormente se accede a la habitación común de Francisco José y Sissí, tapizada con sedas azules, con la cama de palisandro, regalo de los ebanistas vieneses a la pareja. Tras ésta, se accede a las dependencias de la emperatriz Sissí. Ella no alteró el estilo rococó que conservaba desde el XVIII cuando María Teresa encargó su decoración. Ésta es la razón de que cuente con numerosos retratos de los 16 hijos que ésta tuvo con Francisco Esteban de Lorena.

La visita continúa por las habitaciones correspondientes al reinado de María Teresa. La más significativa es el Salón de los Espejos, donde Mozart se presentó ante la emperatriz, a los seis años, y tras el concierto que ofreció a la corte, en un acto de espontaneidad infantil se sentó en el regazo de María Teresa. El Salón Rosa no recibe el nombre por el color predominante en su decoración, sino por el pintor húngaro José Rosa, autor de los cuadros que representan estampas suizas, la patria original de los Habsburgo.

La Gran Galería, utilizada todavía para recepciones de Estado, tiene una longitud de más de 40 metros. Los magníficos frescos del techo cantan la gloria de la emperatriz María Teresa. Los gabinetes chinos sorprenden al visitante, como el Salón Chino Azul donde Carlos I firmó su abdicación y el Salón del Millón, que recibe el nombre por el supuesto millón de gulden que pagó María Teresa por su decoración con palo de rosa y miniaturas indias y persas.

La visita culmina en la habitación de María Teresa, donde está la cama en la que nació su hijo, el futuro heredero, en 1830.

• Interior de Schönbrunn

• Gran Galería de Schönbrunn

MUSEO DE CARRUAJES

Este museo, ubicado en las antiguas cocheras del palacio, conserva las suntuosas carrozas de ceremonia, oficiales, de uso común, de viaje, sillas de mano o carrozas de niños. El museo está decorado además con numerosas pinturas que representan ceremonias con participación de carrozas, y retratos de los caballos de la familia. Tres carrozas merecen especial atención: *La carroza de la coronación*, decorada con ricos remates de oro, pesa un total de cuatro toneladas; *La carroza de la emperatriz Sissí* decorada con delicada laca negra con adornos dorados; llamativo es el llamado *Faetón del rey de Roma*, una minicarroza esmeralda y oro que Napoleón regaló a su hijo, y que estaba tirada por dos carneros especialmente adiestrados en el circo de París.

LOS JARDINES

Los terrenos de los grandiosos jardines de Schönbrunn se remontan a 1569, cuando el emperador Maximiliano II adquiere un inmenso coto de caza en torno a su pabellón. Los jardines cumplen con la más estricta tradición del jardín francés, con arriates dispuestos geométricamente y los setos y arbolados recortados en líneas perfectamente rectas. Tras la restructuración del palacio, a partir de 1750, Adrian von Steckhoven distribuye las zonas verdes. Se renuevan entonces la Orangerie, la Bella Fuente y los Jardines Privados, donde surge el característico trazado de paseos en forma de estrella. Durante la

46

época de María Teresa, Von Ferdinand Von Hohenberg dibuja y construye las estructuras arquitectónicas. Entre ellas se encuentra la Glorieta, que se trata de un arco de triunfo que María Teresa ordenó erigir tras haber vencido a Federico II el Grande, rey de Prusia en la batalla de Kolín. En su centro acristalado se ubica un café desde donde se obtienen espléndidas vistas sobre el complejo del palacio y los jardines. Detrás de la glorieta hay un inmenso depósito de agua que suministra a las fuentes del parque. Otras estructuras de esa época son la **Fuente de Neptuno**, la **Ruina Romana**, que supone una lograda escenografía, y el **Obelisco**, cuyos jeroglíficos contaban, para María Teresa, la historia de los Habsburgo desde Rodolfo I en el siglo XIII hasta su primogénito José. Las esculturas repartidas en los jardines representan divinidades grecorromanas, aunque sus rasgos son los de los hijos de María Teresa.

De una época posterior, concretamente de finales del siglo XVII, es el **Invernadero de Palmeras**, el mayor de todo el viejo continente.

JARDÍN ZOOLÓGICO

El Zoológico circular fue instalado en los jardines de palacio en 1752. Se piensa que tiene su auge en el amor que manifestaba la emperatriz Sissí por los animales. Pero el príncipe Eugenio de Saboya también colaboró anteriormente con los animales que coleccionaba.

• Glorieta y jardines de Schönbrunn

Sissi

Elisabeth Amalia Eugenia fue una mujer de gran cultura, fuerte carácter e ideas liberales. Luchó siempre por mantener su libertad fuera del ceremonial de la férrea corte vienesa lo que le llevó a tener grandes enfrentamientos con la madre del emperador Francisco José, con el que fue obligada a contraer matrimonio a los dieciséis años.

Vivió momentos muy dolorosos como la muerte de sus cuatro hijos, incluido Rodolfo, el heredero, que se suicidó. Según algunos historiadores se volvió neurótica y anoréxica, problemas que aliviaba con el contacto con la naturaleza y su obsesión por hacer deporte. Incluso hoy en día se pueden ver en Hofburg sus aparatos de gimnasia. Cuando ya su matrimonio no era lo que el cine nos ha mostrado, se retiró para vivir fuera del protocolo de la corte que tanto le irritaba. Viajera infatigable, fue en uno de esos viajes donde encontró la muerte a manos de un anarquista el 10 de septiembre de 1898. Ángeles Caso en su libro *Elisabeth, emperatriz de Austria-Hungría* la describe como "una mujer inconformista y rebelde, nacida en una época y un lugar que no le correspondían, y a la que el tiempo ha tratado despiadadamente, convirtiéndola en una melosa y vacía princesita cinematográfica". Claudio Magris en *El Danubio* dice sobre su habitación de la Villa Hermes: "Los colores son oscuros y enfermizos, el lecho de la emperatriz es un auténtico lecho fúnebre contemplado por una alegoría de la melancolía, las escenas shakesperianas son de una insinuante y glacial lascivia, que se repite en las figuras mitológicas dispuestas en la sala de gimnasia, en la cual Elisabeth sometía su cuerpo andrógino a ejercicios físicos practicados con un auténtico culto, como si fueran ejercicios espirituales".

– Casa de Hundertwasser – (Hundertwasserhaus)

El pintor y profesor de la Academia, Friedensreich Hundertwasser, construyó esta casa del Ayuntamiento de Viena, terminada en 1985, como revelión contra la forma geométrica aplastada y la excesiva linealidad en la arquitectura de su época. Gracias a esta construcción dedicada a viviendas sociales, realizó sus aspiraciones estilísticas y ecológicas. Debido al éxito que tuvo la construcción entre la población, ya que eran muchas las personas que se acercaban a observar esta obra, con evidentes influencias de Gaudí, se construyó en la planta baja una galería comercial en la misma línea.

• Casa de Hundertwasser

— Prater —

En 1766 el emperador José II abrió oficialmente al público el coto real de caza del Prater y se convirtió en un lugar de encuentro entre los vieneses. Se abrieron cafeterías y quioscos, y ofrecía diversión de todo tipo. En 1897 se construyó la **Rueda Panorámica (Wienner Riesenrad)**, que fue obra del ingeniero

• Rueda Panorámica en el Prater

inglés Walter B. Basset. Al final de la Segunda Guerra Mundial fue destruido este símbolo de Viena. Pero dos años después, la noria volvió a girar. Se mantuvo el medio metro de espesor y los diez metros de largo de su eje, aunque el número de cabinas fue reducido a la mitad. Desde estas cabinas, que giran muy lentamente, se puede gozar de una estupenda vista de la ciudad, ya que el punto más alto se encuentra a casi 65 metros de altura.

— Grinzing —

La antigua aldea de Grinzing fue incorporada al municipio de Viena en 1892 y ha conservado el carácter típico de la aldea de viñeros. Gran parte del sugestivo y pintoresco casco antiguo del pueblo se remonta a los siglos XVI y XVII. Por un antiguo privilegio, los viñeros pueden vender en sus locales su propio vino, si se trata del llamado Heuriger que es un vino joven de menos de un año. La expresión "Ausg'steckt ist" significa que si hay una ramilla de pino silvestre en la puerta de un viñero, indica que se trata de un típico local que ofrece vino joven de su producción.

— Danubio —

A pesar de la regulación del Danubio llevada a cabo en el siglo XIX, el río seguía inundando ocasionalmente las orillas. Por esta causa se excavó en 1972 un canal auxiliar paralelo, creando así una isla de aproximadamente 2 kilómetros de largo que se ha convertido en un lugar de esparcimiento, con bares y terrazas, al que se puede acceder cómodamente con el metro.

• Taberna de vino en Grinzing

Bosques de Viena

L a región de los Bosques de Viena, la Wienerwald, como se la denomina, que se prolonga hacia el sur hasta la línea de las termas, ha sido el lugar de descanso preferido de artistas y famosos, y las saludables fuentes de Baden y de Bad Völsau siguen atrayendo en la actualidad a numerosos turistas en busca de un ambiente sano. Durante el verano, Baden se convierte en el centro de la opereta con su especial encanto de ciudad-balneario rica en tradiciones.

MÖDLING

Es una pequeña localidad vinícola al sur de Viena, en la desembocadura de una garganta rocosa, rodeada por bellos paisajes y bosques. La calle más importante es la **Haupstrasse**. En ella se encuentra la **Hafnerhaus**, una casa del siglo XVII con un patio porticado gótico en la que vivió Beethoven un tiempo. La zona peatonal de la localidad, que alberga casas de fachada gótica, culmina en la **Freiheitsplatz** en cuyo centro se levanta una columna de la peste de estilo barroco. La visita se completa con el Ayuntamiento renacentista, el museo local y Sankt Othmar, la **iglesia parroquial**. Fue construida en el siglo XV en estilo barroco y aún conserva un poderoso ábside con contrafuertes triangulares. El interior está dividido en tres naves y la portada presenta relieves en los que se representa a San Ulberto.

CASTILLO DE LIECHTENSTEIN

A poca distancia de Mödling se encuentra el Castillo de Liechtenstein, reconstrucción del siglo XIX de una antigua fortaleza medieval. La construcción primitiva data de 1165 por deseo del trovador Ulrich von Liechtenstein. El príncipe Juan I de Liechtenstein compró las ruinas que quedaban del castillo en 1808 y lo hizo reconstruir. Frente a la fortaleza se encuentra la Husarentempel, una rotonda erigida en recuerdo de los siete húsares que salvaron la vida del príncipe en la batalla de Essling en 1809.

LAXENBURG

Se encuentra a 8 kilómetros al sureste de la anterior. En el lugar se pueden visitar tres castillos inmersos en un parque maravilloso cuya estructura no es regular, sino que parece diseñada por la naturaleza. Desde el centro hacia el este se extiende un gran estanque donde se pueden dar paseos en barca. En la plaza principal, frente a la iglesia, se encuentra el **Palacio Nuevo (Blauer Hof)**, uno de los primeros edificios barrocos de la región vienesa, realizado entre 1699 y 1726. Es un conjunto arquitectónico, construido en tiempos de María Teresa, que fue escenario del Congreso de Viena en 1815 y residencia de Francisco José y Sissí, donde nació en 1858 su hijo el archiduque Rodolfo, y del emperador Carlos I entre 1916 y 1918.

En el comienzo del parque, se encuentra el **Castillo Viejo (Altes Schloss)**. Era un antiguo pabellón de caza del siglo XIII que fue adquirido por los Habsburgo un siglo después y transformado en palacio barroco destinado a recreo. En él el emperador Carlos VI firmó en 1725 la Pragmática Sanción por la que aseguraba la sucesión de María Teresa, al hacer posible la regencia de un miembro femenino. Actualmente es un Museo de Cine. En el interior del parque se encuentra el **Castillo de Franzenburg**, una importante obra del Romanticismo

Toda Austria recibe la visita de San Nicolás la noche del 5 y 6 de diciembre, un mes antes que en España, coincidiendo con nuestro puente de la Constitución. En todas las casas los niños esperan su visita, que según el tiempo lo permita viene en trineo, caballo o caminando. Para esta gran labor cuenta con su fiel ayudante Krampus, que simboliza el lado oscuro y malo de la humanidad.

El ambiente navideño se vive en Austria durante las cinco semanas anteriores a su celebración. Las grandes plazas se convierten en cuentos de Navidad plagados de puestos de madera con elementos navideños y vino caliente para combatir el frío. Son los tradicionales mercadillos navideños.

clasicista de Austria. Fue construido entre 1798 y 1836 en una isleta por orden de Francisco I. En la capilla se conservan esculturas góticas y en las diversas salas de techos renacentistas, del siglo XVI, se exponen muebles, armas antiguas, mesas y bancos góticos. En la sala de armas se puede ver una estatua ecuestre del emperador José II.

HEILIGENKREUZ

Este pueblo se visita por su **abadía cisterciense,** fundada en la época de los Babenberg en 1135. Posteriormente fue reformada durante los siglos XVII y XVIII en estilo barroco. El santuario, que da nombre al pueblo, debe su denominación a que, según la leyenda, conserva un trozo de la Santa Cruz que se encuentra en Austria desde el siglo XII. La basílica tiene las bóvedas de aristas estriadas más antiguas del país. El coro gótico en la nave, que sirvió de modelo a muchos edificios del sur de Alemania, está dividido en tres naves de igual altura por pilares fasciculados y abierto por ventanas de tracerías caladas con vidrieras del siglo XVI. Detrás del crucero románico, en la parte sur, está el pabellón de la fuente, con una gran fuente de plomo. La sala capitular alberga 13 sepulturas de los soberanos, incluidas las de los últimos Babenberg.

MAYERLING

Situada a tres kilómetros al oeste de la anterior, esta población es conocida por haber sido el escenario de uno de los acontecimientos más trágicos y románticos de la historia de Austria. En el **Pabellón de Caza** de esta localidad se suicidaron el archiduque Rodolfo, hijo de Francisco José y Sissí y heredero al trono, junto a su amante la baronesa María Vetsera el 30 de enero de 1899. Francisco José impuso el matrimonio de su hijo Rodolfo con Estefanía de Bélgica. Rodolfo, tras su boda, se enamoró de María Vetsera y solicitó al Papa León XIII la anulación del matrimonio, lo que indigna a su padre que le obliga a abandonar a su amante. La reacción del heredero fue encerrarse con María en el pabellón de caza del antiguo palacio, y matarla de un tiro, para dispararse él a continuación. Después de la tragedia, el palacio fue donado a la orden religiosa de los carmelitas. La sala en la que aparecieron muertos los amantes es hoy una capilla neogótica, aunque sigue albergando recuerdos del príncipe.

BADEN

Esta ciudad con su atmósfera imperial invita a visitar los baños termales, que datan de la época romana, el teatro y el casino. La arquitectura y el parque del balneario poseen un encanto decadente, reforzado por actividades como el verano de las operetas.

Desde que en el siglo XIX el emperador Francisco II decidiera pasar aquí sus veranos, Baden se convirtió en un lugar de moda frecuentado por la corte, en el que se daban cita numerosos artistas como Mozart o Schubert.

Actualmente existen catorce manantiales de aguas sulfurosas a 36ºC indicadas especialmente para los bronquios, pulmones, reuma, artrosis y enfermedades hepáticas.

—— Josefplatz ——

A esta plaza llegan los tranvías procedentes de Viena. Destacan los dos pabellones de los edificios termales, construidos en el siglo XIX: el neoclásico Frauenbad, construido en 1821, hoy sede de exposiciones temporales, y el Josefsbad, al que en 1804 se le añadió un cuerpo circular, similar al Templo de Vesta, que recientemente ha sido habilitado como restaurante.

—— Hauptplatz ——

Es la plaza más importante de la ciudad. De forma triangular se abre en el centro del núcelo más antiguo cerrado al tráfico. En el siglo XVIII se levantó una columna de la peste de estilo barroco tras la epidemia que sufrió la ciudad. En el número 17 está la **Kaiserhaus**, residencia de verano del emperador Francisco I y Carlos I, que se acercaban a la ciudad a tomar las aguas. En el número 10 está la **Beethovenhaus**, la casa donde Beethoven, que iba en verano también a tomar las aguas, compuso su Novena Sinfonía. El **Ayuntamiento (Rathaus)** se abre a la plaza con pórtico de columnas imitando a los templos griegos. Conserva estatuas alegóricas que representan la justicia, la belleza y la sabiduría.

—— Kurpark ——

Este parque, que antaño entretenía a la nobleza, en la actualidad tiene una parte destinada a con-

● Abadía de Klosterneuburg

ciertos. Justo a la entrada está el Casino y el Palacio de Congresos y algunos grandes hoteles en estilo ecléctico característico de finales del siglo XIX.

– Iglesia de San Esteban – (Pfarrkirche St. Stephan)

Esta iglesia gótica fue construida en 1477 con un ábside flanqueado por torres. La planta está dividida en tres naves cubiertas por bóvedas estrelladas, sustentadas por pilares ornamentados con antiguos epitafios. En el último pilar se conserva un púlpito barroco. En la pared lateral del coro se encuentra *La lapidación de San Esteban*, pintura realizada en 1745. En la pared interior de la fachada se abre una tribuna gótica en la que se ha instalado un órgano barroco.

— Thermal-Strandbad —

Es el establecimiento termal que explota las famosas aguas cloro-sulfurosas de Baden y se halla al oeste de la ciudad, en la Helenenstrasse. Cuenta con una gran piscina de 140x40 metros con arena de mar.

KLOSTERNEUBURG

El monasterio de los Agustinos fue fundado en 1100 por el conde Leopoldo II Babenberg, el Santo, y su origen está ligado a una curiosa leyenda: el viento hizo volar el velo de la esposa del conde, y entonces Leopoldo hizo

• "Heidentor", Arco del Triunfo romano en Carnuntum

promesa de hacer construir un monasterio en el lugar donde se había posado el velo. En 1683 sufrió grandes destrozos a causa de un incendio. Carlos VI encargó la reconstruicción con la idea de que reprodujese el Monaterio de El Escorial. El plano tenía grupos de edificios coronados por cúpulas con la forma de las coronas de la dinastía de los Habsburgo. Pero a la muerte del monarca, en 1743, sólo se habían terminado dos cúpulas. Entre 1836 y 1842, el arquitecto Joseph Kronhausel edificó otro ala del conjunto, pero no completó el proyecto. La obra más valiosa de la abadía es el Altar Verdun, de 1181, que representa 51 episodios de la Biblia. La iglesia del monasterio presenta en la actualidad un estilo que une el gusto neorromano al neogótico. El interior, sin embargo, es barroco.

• Abadía de Melk

CARNUNTUM (JUNTO A PETRONELL)

Los romanos construyeron Carnuntum y la convirtieron en la ciudad más importante de la región. Su situación estratégica en el cruce de la ruta del ámbar con el Danubio fue fundamental. El emperador Marco Aurelio residió aquí durante las guerras marcomanas. En el año 193 Carnuntum se convirtió en colonia, lo que supone un importante rango dentro del imperio romano. La zona conserva todavía vestigios de este pasado glorioso como el Heidentor o Arco del Triunfo y el Anfiteatro.

MELK

Se encuentra a poco más de 100 kilómetros de Viena, en la orilla oriental del Danubio. Su fama radica en la imponente abadía barroca perteneciente a la orden de los benedictinos. Situada en un promontorio rocoso a más de 50 metros de altura, recuerda más a una fortaleza que a una abadía. Fue construida por orden de Leopoldo I Babenberg en el siglo X, pero en el siglo XVIII fue reconstruida bajo el barroco. Entre 1805 y 1809 se convirtió en el cuartel general de Napoleón.

La visita incluye el Patio de los Prelados, decorado a base de estelas con motivos bíblicos, la Sala de Mármol, con frescos barrocos, y la Biblioteca que alberga 100.000 tomos y 1.200 manuscritos medievales e incunables.

La iglesia está constituida por una única nave cubierta con una cúpula de 64 metros de altura. Los frescos representan escenas de la vida de San Benito.

WACHAU Y EL VALLE DE LOS NIBELUNGOS

Con el nombre de Wachau se conoce el trayecto del Danubio entre Melk y Krems y el valle de los Nibelungos abarca también desde Melk río arriba hasta Bis/Persenbeug. El paisaje ofrece pintorescas poblaciones, imponentes monasterios y ruinas románticas entre montañas de bosques y valles cubiertos de vides. Esta región estuvo poblada desde la edad de piedra, prueba de ello es la Venus de Willendorf, una figura de 11 cm encontrada en 1908. Más tarde los romanos utilizaron el Danubio como frontera natural para defender su imperio frente a los germanos. En el siglo XI los Babenberg conquistaron esta importante región a los húngaros, y aseguraron la vía fluvial del Danubio por medio de fortalezas: en el valle de los Nibelungos con el castillo de Persenbeug, y en el Wachau con las fortalezas Schönbühel, Aggstein, y Dürnstein que con el transcurso de los siglos se han convertido en ruinas.

Dürnstein fue el lugar de cautiverio del rey inglés Ricardo Corazón de León en 1192 durante varios meses. El duque Leopoldo V tuvo enfrentamientos con el monarca inglés durante las cruzadas en Tierra Santa. Al regresar Ricardo Corazón de León fue atrapado por el duque a su paso por Viena. Tras los meses de cautiverio en Dürnstein fue entregado al Emperador Enrique VI quien recibió una alta recompensa de Inglaterra que compartió con el duque. Sin embargo en su lecho de muerte el duque arrepentido hizo devolver a Inglaterra el dinero que no había gastado.

Desde el siglo XVI hasta finales del XVIII la venta de vinos se convirtió en una fuente de riqueza en la región. El Castillo de Schallaburg, centro del Protestantismo en Austria, fue ampliado en estilo renacentista. Para protegerse de los turcos se fortificaron las iglesias, un ejemplo de ello se puede observar en San Michael.

Salzburgo, cuna de Mozart

R odeada de montañas, Salzburgo se creó y creció a ambos lados del río Salzach y está dominada por la gran fortaleza que vigila desde lo alto. La ciudad que vio nacer a Mozart parece haberse parado en el tiempo y traslada al visitante al siglo XVI, sensación que se acentúa gracias a los músicos vestidos de época que se pueden encontrar en cualquier esquina tocando fragmentos de las obras de su hijo más célebre.

— Plaza de la Catedral —

En esta plaza se instala el mercadillo navideño, tan típico de esta parte de Europa. También son frecuentes las representaciones teatrales para lo que se instalan grandes escenarios. Los monumentos que enmarcan esta plaza se comunican unos con otros mediante los arcos realizados por Giovanni Antonio Darío. Una columna de 1770, dedicada a la Virgen y realizada por Johann Baptist Hagenauer, preside la plaza.

— Catedral —

La primera construcción de la catedral data del año 774, bajo San Virgilio. Después de un incendio en 1598, el príncipe arzobispo Markus Sittikus hizo restaurar la catedral según los planos de Santino Solari. Su construcción comenzó en 1614, según las ideas del Renacimiento, y concluyó en estilo barroco en 1655. Posse una fachada de mármol claro flanqueada entre dos torres. La parte inferior, con tres arcadas, cuenta con cuatro estatuas que representan a los apóstoles Pedro y Pablo, junto a la puerta central, y fuera a los santos locales san Ruperto y san Virgilio. Encima se observa a Moisés y Elías y corona el conjunto una escultura de Cristo. Las puertas de bronce son de este siglo y representan las virtudes teológicas de la fe, la esperanza y la caridad.

En el interior, el mosaico del suelo permite reconocer las plantas de las tres catedrales construidas en distintas épocas. Sobre el altar mayor, que data del siglo XVII, un lienzo representa la Resurrección de Cristo. Las pinturas de la cúpula fueron destruidas durante la Segunda Guerra Mundial. Las que se observan, que representan a las estaciones del Vía Crucis, son posteriores. En la cripta de la catedral están los sepulcros de los príncipes-arzobispos del Renacimiento. Cerca de la entrada, en el lado izquierdo se encuentra la pila bautismal de bronce, sostenida por cuatro leones, donde fue bautizado Mozart.

El Museo del Tesoro se encuentra a la derecha de la entrada y muestra objetos de los príncipes-arzobispos, así como el tesoro de la catedral. Al Museo Arqueológico de la catedral se accede por los arcos. Allí se muestran los restos de las anteriores catedrales encontrados durante las excavaciones.

– Plaza de la Residencia – (Residenplatz)

Esta plaza, una de las más grandes de la ciudad, se encuentra al norte de la catedral. Desde ella salen los coches de caballos (flaker) que hacen el recorrido turístico por la ciudad. En el centro se observa la Fuente de la Residencia. Se trata de una fuente barroca de mármol, que data de 1661.

— Nuevo Palacio — de la Residencia (Neugebäude)

En el lado oeste de la plaza se ubica este palacio edificado entre 1592 y 1602. Un tiempo después se construyó la torre que cuenta con un carrillón de 1702 con 35 campanas fundidas en Amberes. El carrillón suena a las 7 h, a las 11 h y a las 18 h.

• Plaza de la Residencia

– Residencia arzobispal –

Este es el edificio principal de la plaza. El arzobispo Wolf Dietrich von Raitenau lo hizo construir en 1595 sobre la antigua del siglo XII. Ha sido residencia de los príncipes-arzobispos hasta el siglo XIX. Las 15 estancias son fundamentalmente barroco tardío y clasicista. La *Sala de Carabineros*, dedicada a representaciones teatrales y sala de baile, cuenta con unos espléndidos frescos del siglo XVII que representan escenas de caza y temas mitológicos. En la *Sala de Conferencias*, Mozart ofreció numerosos conciertos para el príncipe-arzobispo y sus invitados. De sus paredes cuelga un gran cuadro de Alejandro Magno durante una batalla. La *Sala del Trono* cuenta con una estufa de estilo Luis XVI.

—— Iglesia de los —— Franciscanos (Franziskanerkirche)

Esta iglesia, inaugurada en 1221 se levantó en el lugar donde existió una iglesia del siglo XII. Sus numerosas reconstrucciones han dejado rasgos románicos, góticos y barrocos.

El altar mayor, rodeado por una verja de hierro, se realizó a comienzos del siglo XVIII. La parte central está ocupada por una Virgen de estilo gótico que destaca sobre el retablo barroco. Esta imagen fue encontrada durante la restauración de 1984 y pertenecía al antiguo altar creado por Michael Pachter en 1496.

El coro, situado sobre el arco, es de estilo gótico tardío del siglo XV y sus frescos representan a sus dos autores. El púlpito, realizado en mármol, está sujeto por una columna románica en cuya base se observa la representación de un león luchando con un hombre como símbolo de la lucha del mal contra el bien.

—— Abadía de —— San Pedro

Aunque en origen esta basílica es de estilo románico, se restauró y amplió durante el siglo XVIII en estilo rococó. El pórtico, que mantiene el estilo románico, da acceso a la derecha a la Capilla del Espíritu Santo, y por la izquierda a la Capilla de San Wolfgang. El pórtico queda dividido de la nave por una verja de hierro rococó. Ya en el interior, destacan los frescos de la bóveda que narran *La vida de San Pedro*. A los lados, las pinturas representan *La pasión de Cristo* y *La exaltación de la Santa Cruz*. En la nave lateral derecha se encuentra el sarcófago de San Ruperto, que se puede observar a través de una reja. Enfrente está un monumento a Haydn (hermano del músico) de comienzos del siglo XIX, también rodeado por una verja semicircular con la urna que contiene el corazón del músico.

—— El cementerio de —— San Pedro

Es el más antiguo de la ciudad y está rodeado de arcadas que acogen las pequeñas tumbas adorna-

• Panorámica de la ciudad

das, principalmente, con hierro forjado. En la parte superior de las arcadas, en la roca, están excavadas las catacumbas. En el centro del campo santo se encuentra la Capilla de Santa Margarita. Este cementerio, aunque parezca macabro, ha servido de escenario a representaciones teatrales y supone uno de los principales puntos turísticos de la ciudad.

—— Fortaleza de —— Hohensalzburg

Presidiendo la ciudad, en lo alto del monte Festungsberg, está considerado como el castillo mejor conservado de Europa central. Para acceder a la fortaleza es necesario coger el funicular que sale cada diez minutos de la Festungsgasse. Este castillo perteneció a los príncipes-arzobispos que lo utilizaron como residencia. La primera piedra se puso en 1076, bajo el dominio del arzobispo Gebhard durante la Guerra de las Investiduras aunque no se terminó hasta el siglo XVII.

HABITACIONES DE LOS PRÍNCIPES

Las estancias de los príncipes-arzobispos se encuentran en la tercera planta. Son de estilo gótico y están decoradas fundamentalmente con mármol y pan de oro. La más destacada es la *Sala Dorada* de estilo gótico y forrada en madera policromada. Cuenta con una estufa de cerámica de cuatro metros de alto, decorada con mosaicos que data de 1502 y muestra escenas bíblicas e imágenes de los príncipes de aquel tiempo.

CAPILLA DEL CASTILLO

Esta capilla fue construida en 1502 en honor de San Jorge. El altar mayor, realizado en 1776, dispone de una gran pintura donde se ve al santo luchando con un dragón y relieves en mármol que representan a los apóstoles.

MUSEO DEL CASTILLO

Este museo está instalado en la planta superior y alberga colecciones de armas de distintas épocas, planos antiguos de la construcción de la fortaleza y objetos que pertenecieron al arzobispo Wolf-Dietrich. También se pueden visitar las cámaras de tortura y las celdas.

— Abadía Nonnberg —

Al este de la fortaleza está situada la abadía de benedictinas Nonnberg. Fue fundada a principios del siglo VIII por San Ruperto y está considerado como uno de los más antiguos conventos de mujeres que se conservan. El convento quedó definitivamente terminado en el siglo XV en estilo gótico, con la iglesia que conserva un retablo gótico acabado en 1498 por Veit Stoss.

— Callejuela — de los cereales (calle Getreidegasse)

Esta calle es una de las principales arterias de la ciudad, llena de comercios y restaurantes. Sus casas patricias proceden de entre los siglos XV al XVIII y se caracterizan por sus bellos patios con arcadas y los marcos de las ventanas decorados con estucos y pasadizos, que los salzburgueses llaman "pasacasas". Los comercios lucen originales letreros de hierro forjado cuyo origen se remonta a la Edad Media, tiempo en el que la mayoría de la población era analfabeta lo cual les obligaba a anunciar sus productos mediante símbolos.

• Calle de los Cereales con sus característicos letreros de hierro forjado

— Casa natal — de Mozart (Mozart Geburthaus)

En el tercer piso del número 9 de la Getreidegasse nació el 27 de enero de 1756 el niño prodigio Wolfgang Amadeus Mozart. En esta vivienda, el genial músico compuso casi todas sus obras de juventud. Actualmente es un museo abierto al público donde se pueden ver objetos que pertenecieron al maestro, como su primer violín, el clavicornio y el piano, cuadernos de música e incluso las cartas enviadas a su padre desde Viena. Las dos primeras plantas pertenecen también a la fundación Mozart y exponen dioramas, maquetas y vídeos relacionados con el músico.

• Casa natal de Mozart

Mozart

En enero de 1756 nació en Salzburgo uno de los genios musicales de todos los tiempos: Wolfgang Amadeus Mozart. Aprendió las notas antes que la escritura y desde los seis años recorrió con su padre y su hermana las cortes de Europa. Cuando fueron presentados en la Corte Imperial de Viena, Mozart, con la espontaneidad de un niño, corrió y se sentó en el regazo de la emperatriz María Teresa. El niño prodigio consiguió un gran éxito y despertó una gran admiración en Europa, pero el compositor adulto no fue muy entendido, a lo que contribuyó su carácter rebelde. Su esposa Constanza fue un gran apoyo para él, aunque también contribuyó a sus penurias económicas, debido a sus largas estancias en el balneario de Baden por su delicada salud. Las circunstancias de su muerte todavía siguen provocando especulaciones de todo tipo, ya que murió mientras componía un réquiem que un desconocido le encargó, y se ha llegado a hablar de asesinato.

Mozart compuso 22 óperas, 18 misas, 51 sinfonías, 23 divertimentos, 10 serenatas para orquesta, 23 conciertos para piano, 30 conciertos para orquesta... Su música se caracteriza por una inmejorable calidad y armonía. Actualmente es un mito en toda Austria y cuenta con monumentos en cada rincón. La industria del souvenir explota este mito con todo tipo de recuerdos.

— El mercado — antiguo (Alter Markt)

Situado en la zona de la Getreidegasse, en este lugar estuvo instalado el antiguo mercado, a lo que debe su nombre. El comercio más caraterístico es la farmacia de la **Hofapotheke**, fundada en 1591, que conserva la decoración rococó originaria. En esta zona se encuentra la **Fuente de San Florián** del siglo XVIII, protegida por una verja renacentista y el café más antiguo de Salzburgo, el **café Tomaselli** de 1705. Enfrente se observa la casa más pequeña de la ciudad que tiene una gárgola en forma de cabeza de dragón.

— Barrio del Festival —

Los dos palacios ubicados en este barrio son del siglo XX y fueron construidos para albergar las celebraciones de los famosísimos Festivales de Salzburgo. En el pequeño palacio, de 1928, se representan dramas, comedias y óperas menores y tiene una capacidad para 1.300 personas.

Treinta años después se construyó el Gran Palacio del Festival excavado en la roca Mönchsberg, de la que se extrajeron 50.000 metros cúbicos de piedra. Este palacio tiene una capacidad para 2.400 personas.

— Plaza de la — Universidad

En esta plaza lo más notable es la iglesia de colegio dedicada a la Inmaculada Concepción. De estilo barroco, destaca su fachada norte y la cúpula cruzada del interior. Cuenta con cuatro capillas ovaladas dedicadas a cada uno de los patronos de la universidad: Santo Tomás de teología, San Benedicto de las leyes y el derecho, San Lucas de la medicina y Santa Catalina de la filosofía. El altar mayor está adornado con figuras alegóricas de las distintas artes y ciencias.

— Palacio de Mirabell —

Este palacio fue construido por el príncipe-arzobispo Wolf Dietrich von Raitenau para convertirlo en la residencia de Salomé Alt, su amante, y de los 15 hijos que tuvo con ella. El

• Jardines del Palacio de Mirabell

encargo fue recibido por Lukas von Hildebrandt. En un principio el palacio recibió el nombre de Altenau, pero Markus Sittikus, el sucesor de Dietrich, le puso su nombre actual. Debido al incendio que sufrió en 1818, del edificio original no queda prácticamente nada. El edificio consta de cuatro alas y lo más destacado es la gran escalera de los angelotes y la sala de mármol decorada con estucos de mármol dorado.

Actualmente es la residencia del alcalde de Salzburgo y la sede del Registro Civil, el Ayuntamiento y la Biblioteca Pública Municipal.

Los jardines fueron diseñados por Fischer von Erlach, el mayor rival de Hildebrandt (el arquitecto del palacio). Salpicados de estatuas, árboles y flores, alberga en su interior el Museo Barroco que cuenta con una colección de pinturas, grabados y dibujos.

ALREDEDORES DE SALZBURGO

— Palacio Hellbrunn —

Este palacio, situado a cinco kilómetros al sur de la ciudad, fue la residencia de verano del arzobispo Markus Sittikus desde 1619. Está situado en el centro de un espacioso parque que supone su principal atractivo gracias a los numerosos juegos acuáticos. Los surtidores y las grutas con estatuas, representaciones escénicas y un teatro mecánico, en el que hay hasta 113 marionetas que son accionadas por una máquina hidráulica, servían de distracción estival al príncipe-arzobispo.

En el interior destacan las pinturas de Donato Mascagni en el primer piso y la Sala Octógono por su llamativa decoración a base de dorados y azules.

— Maria Plain —

En una colina al norte de la ciudad se erige la iglesia de peregrinación Maria Plain. Fue construida entre 1671 y 1674. Dos estilizadas torres realzan la fachada atribuida a Giovanni Antonio Darío. En el interior del templo, el altar mayor y las capillas laterales están cubiertos de retablos y en su conjunto refleja la transición del barroco al rococó.

— Museo al aire libre —

Entre Salzburgo y Grossgmain se encuentra este original museo. Se compone de 50 granjas que reflejan la tradicional arquitectura rural. Las casas están equipadas con los utensilios propios de la vida en el campo entre los siglos XVI y XIX. Cuenta también con una capilla, jardín, factoría, escuela, un molino, etc.

• Columna de Santa Ana en el centro

barroco de 1602 y está cubierta con una cúpula de cobre de 1560. A 33 metros de altura tiene un mirador al que se puede subir para admirar las vistas.

—— Tejadillo de Oro —— (Goldenes Dachl)

Este es el símbolo de la ciudad. En el edificio, construido en 1420 como residencia de los príncipes del Tirol, el emperador Maximiliano I añadió el balcón de gala, que se terminó en 1500 en estilo gótico, para seguir las representaciones y los torneos que se desarrollaban en la plaza. El nombre lo debe a que está cubierto con más de 2.000 tejas de cobre doradas al fuego. Los relieves muestran al emperador Maximiliano I con sus dos esposas (María de Borgoña y María Blanca Sforza), el bufón, el canciller, las danzas moriscas y los escudos de armas.

• El Tejadillo de Oro está cubierto con más de 2.000 tejas

71

La rama española

La dinastía de los Habsburgo tiene un primer nombre en la figura de Rodolfo (siglo XIII) que fue quién vinculó su familia a la de los Austrias. Pero es Maximiliano I en el siglo XV quien une, mediante una serie de alianzas por matrimonios, los destinos de España y Austria para convertirlo en un gran imperio. El gran nexo de unión fue Carlos I, nieto del emperador Maximiliano I y de los Reyes Católicos, fruto del matrimonio de estado entre Felipe el Hermoso, uno de los hijos del emperador austríaco y Juana la Loca, hija de los reyes Isabel y Fernando. Los Habsburgo se dividieron en dos ramas al suceder a Carlos I en el trono de Austria, en el que sólo per-

maneció dos años, su hermano Fernando. La rama española tuvo una vida más corta, ya que a comienzos del siglo XVIII, el último miembro de la dinastía, Carlos II (el hechizado), murió sin descendencia. Esto provocó una guerra de sucesión a nivel europeo en la que los Habsburgo austríacos perdieron el control de los territorios españoles frente a los borbones franceses. En Austria, los Habsburgo siguieron en el poder hasta 1918.

— Casa de Helbling —

Justo enfrente del Tejadillo de Oro se encuentra la Casa de Helbling, de estilo gótico cuya construcción se remonta al siglo XV. La fachada fue decorada con estuco en estilo barroco tardío por artesanos de la escuela de Wessobrunn alrededor del año 1730. Los marcos de las ventanas, el mirador y los tímpanos son de delicados colores pastel y están profusamente decorados.

— Castillo de Otto — de Andechs (Ottoburg)

Este castillo es un torreón gótico que se construyó en las murallas de la ciudad en 1494. Actualmente sirve de restaurante y conserva una decoración alemana antigua. Delante se encuentra el monumento a la guerra del Tirol de 1809.

– Catedral de Santiago – (Dom St. Jakob)

San Jacobo es el nombre que en muchos países de Europa se da al apóstol. En España el nombre derivó del latín hasta convertirse en Santiago, pero ambos nombres se refieren al mismo santo. Esta catedral fue edificada, sobre restos góticos, entre 1717 y 1724 por Jakob Herkommer en estilo barroco. El interior está revestido con estucos rococós realizados por Egin Quirin, y su hermano, Cosmas Damian Asam, realizó los frescos de la bóveda. Los de la cúpula oval representan a Santiago implorando a Dios la bendición para la ciudad de Innsbruck.

El altar mayor cuenta con una obra maestra, el cuadro de *María Auxiliadora* de Lucas Cranach el Viejo. En días de culto el lienzo se rodea de un gran altar de plata. En el ala izquierda de la nave transversal se encuentra el mausoleo barroco del archiduque Maximiliano III realizado por Caspar Grass en 1620.

— Iglesia de la Corte — (Hokfkirche)

Construida entre 1550 y 1565, contiene en su interior (aunque la tumba está vacía) el más importante mausoleo del emperador Maximiliano I, con 24 relieves de alabastro. La obra comenzó 17 años antes de su muerte. El proyecto fue encargado al pintor Gilg Sesselschreiber de Munich que propuso construir una obra de bronce con 40 estatuas de tamaño sobrenatural de los antepasados y parientes más importantes del emperador, que compondrían su cortejo fúnebre portando velas. El conjunto se completaba con dos filas de estatuillas y bustos de los santos habsburgueses y los emperadores romanos. Finalmente se hicieron 28 estatuas a las que en la actualidad se las llama los **Hombres Negros**. Las dos más famosas representan al rey Arturo y a Teodorico. También están representados Felipe el Hermoso, hijo del emperador, y su mujer Juana la Loca, hija de los Reyes Católicos. La figura cumbre, realizada posteriormente en 1583, es la del emperador sobre el sarcófago de rodillas y rodeado por cuatro ángeles. El mausoleo está vacío porque cuando falleció el emperador su tumba esta-

• Panorámica de la ciudad

ba sin terminar y no finalizó hasta 60 años después.

En esta iglesia se encuentra también el mausoleo de Andreas Hofer, el héroe de la independencia del Tirol. En 1805 el Tirol tuvo que ser cedido a Baviera, y Andreas Hofer lideró su independencia. Tras varias batallas en el monte Isel en 1809, instalaron en Innsbruck un gobierno civil desde donde Hofer administraba el Tirol en nombre del emperador. Pocos meses después la resistencia fue aplastada y Hofer fue fusilado por los franceses tras ser traicionado. En la *Capilla de Plata*, que recibe el nombre por el altar de madera de ébano adornado con este material, podemos encontrar el órgano renacentista con tubos de madera de cedro y las tumbas del archiduque Fernando II y de su mujer Filipa Welser.

— *Palacio Imperial* — *(Hofburg)*

El palacio fue construido bajo los gobiernos del archiduque Segismundo el Rico y del emperador Maximiliano I en estilo gótico tardío a partir de 1460. Posteriormente fue remodelado entre 1754-73 bajo la emperatriz María Teresa que le dotó de un estilo rococó e incorporó la *Sala Gigante*, la capilla y salones. La Sala Gigante tiene una longitud superior a 30 metros y el techo, revestido de mármol pulido y estucado, fue pintado en 1776 por Franz Anton Maulpertsch. El fresco representa el triunfo de la casa Habsburgo-Lorena, simbolizado por dos mujeres que se dan la mano. Las paredes están decoradas con retratos de los hijos de María Teresa y con cuadros de personalidades de las casas reinantes emparentadas con ellos.

La fachada está delimitada por dos grandes torres circulares y sobre la portada principal está representada el águila bicéfala, símbolo imperial de los Habsburgo. Este palacio fue el escenario escogido por María Teresa para la boda de su hijo Leopoldo II con la princesa española María Luisa, durante cuyos festejos murió Francisco de Lorena, el marido de María Teresa y padre del novio.

Frente a la entrada del palacio está la estatua ecuestre del archiduque Leopoldo V (Príncipe del Tirol, 1618-32). Es la más antigua estatua ecuestre conservada al norte de los Alpes.

—— Castillo Ambras —— (Schloss Ambras)

Al sur de Innsbruck se encuentra esta fortaleza medieval construida bajo los condes de Andechs en el siglo X. Fue adquirida por Fernando I en el siglo XVI aunque fue su hijo, Fernando II quien lleva a cabo las obras de restauración entre 1564 y 1589 y convierte el castillo en su residencia junto a su esposa Filipa Welser, por lo que la corte se trasladó también a este castillo.

La *Sala de Armas* presenta una variada colección de armas utilizadas entre los siglos XV y XVII. La *Sala Española* es del siglo XV de estilo renacentista y se utilizaba para celebrar los banquetes. Está decorada con 25 retratos de los príncipes regentes del Tirol. El *Gabinete de Curiosidades y Objetos de Arte* es una de las dependencias más visitadas del castillo. La sala fue mandada construir por Fernando II para reunir en ella objetos de valor y otros simplemente raros o curiosos que se han dispuesto siguiendo un orden cronológico.

• Castillo de Ambras

Graz, Viaje en el Tiempo

G raz es la segunda ciudad más grande de Austria, que adquirió desde el siglo XV un gran nivel cultural e intelectual gracias a la importancia de su Universidad. El rey Rodolfo otorgó a la ciudad en 1281 una serie de privilegios especiales. En 1440 el emperador Federico III mandó construir la catedral e inició los trabajos para lo que ahora se conoce como castillo Friedrichsburg. Años más tarde, el archiduque Carlos II ordenó ampliar la fortaleza.

— Ciudad Vieja —

Graz posee el casco antiguo habitado más grande de toda Centroeuropa. Su imagen está caracterizada por las casas con frontispicio de los siglos XVII y XVIII, decoradas con estucos. Los arquitectos italianos que trabajaron el gótico, renacimiento y barroco dieron el aspecto que luce la ciudad vieja.

—— Hauptplatz ——

Es el punto de encuentro de la ciudad. Esta céntrica plaza está rodeada por fachadas de los siglos XVII, XVIII y XIX perfectamente conservadas. La **Casa Luegg**, una de ellas, está decorada con estucos del siglo XVII. El **Ayuntamiento**, que también se encuentra en esta plaza, es un ejemplo clásico de historicismo y en el centro se encuentra la **Fuente del archiduque Juan**, hecha en bronce con figuras femeninas que representan una alegoría sobre la Estiria antigua, con sus cuatro ríos principales, el Enns, el Mur, el Drau y el Sann.

– Calle de los señores – (Herrengasse)

Es el centro social de la ciudad vieja. Esta calle peatonal alberga las mejores tiendas de la ciudad y una serie de casas patricias de gran belleza. Entre sus construcciones destaca la **Farmacia del Oso**, un edificio de estilo rococó del siglo XVIII o la **Casa Pintada** que data de 1742 y está decorada con frescos mitológicos del pintor J. Mayer.

—— Landhaus ——

Situada también en la calle de los señores, la actual sede del gobierno federal está considerado uno de los más valiosos edificios renacentistas. Fue construido por Domenico dell'Allio entre 1557 y 1565 y cuenta con un espléndido patio porticado renacentista con tres pisos de arcadas y con fuentes de bronce. Una escalinata conduce a la Sala de los Caballeros que exhibe un suntuoso techo de estuco que representa los cuatro elementos y los doce signos del zodiaco.

– El arsenal (Zeughaus)–

La llamada armería posee una colección de armas con más de 30.000 piezas. Algunos expertos afirman que es el mayor del mundo y en él se pueden ver armas del siglo XV, algunas procedentes de las guerras contra los turcos, hasta el siglo XIX. Entre las piezas que se pueden observar, se encuentran cañones antiguos, espadones, mandobles, cotas de malla, escudos, mosquetes y espingardas de todo tipo.

—— Plaza del Carillón —— (Glockenspielplatz)

En la casa número 4 de la plaza está situado lo que se ha convertido en el símbolo por excelencia de Graz. Este reloj, que funciona diariamente a las 11 y a las 18h dispone de un mecanismo de figuras danzantes ataviadas con trajes típicos.

• La armería cuenta con más de 30.000 piezas

— Catedral (Dom) —

Dedicada a San Gil, esta catedral fue construida en estilo gótico tardío entre 1438 y 1462 auspiciada por el emperador Federico III. Cuenta con tres naves con bóvedas reticuladas. El altar mayor del siglo XVIII es una obra en mármol de George Kraxner. En el altar barroco del coro se encuentra la imagen de San Gil y dos cofres relicarios renacentistas en madera de ébano y con incrustaciones de marfil realizados en Mantua en 1475.

En el exterior, en la fachada del gótico tardío, destaca el pórtico oeste de 1456. Junto a la catedral se puede visitar el Mausoleo de Fernando II, una obra manierista del siglo XVII.

— La Colina de — Schlossberg

Cuando Napoleón invadió Graz, derribó la fortificación que existía en la colina y que había sido un gran bastión defensivo para la ciudad. Lo único que ha persistido es la **Torre del Reloj** (Uhrturm), símbolo de esta zona. Se trata de un reloj de 1712, que se ve desde lejos, en una torre de 28 metros de altura. Y la **Torre de la Campana** (Glockenturm), cuya campana pesa casi 5.000 kg.

Se accede a la colina, desde donde se aprecian unas estupendas vistas, de más de 120 metros de altura, en un funicular llamado Schlossbergbahn que sale desde el centro de la ciudad.

• Torre del Reloj

– *Castillo de Eggenberg* –

Situado a dos kilómetros al oeste de la estación central de Graz, en la orilla oriental del Mur. Fue construido a principios del siglo XVII por Pietro de Pomis y está compuesto por cuatro torres y en el centro un patio porticado a tres alturas. El edificio cuenta con 365 ventanas, una para cada día del año.

Sus lujosas estancias están decoradas con estucos y frescos en los techos. En la segunda planta hay 24 salas, todas ellas de estilo barroco de los siglos XVII y XVIII. La Sala de los Planetas estaba dedicada a los festejos y era una de las más espectaculares.

Hoy, una parte del castillo está dedicada a museos que muestran colecciones de prehistoria y numismática, así como de caza.

• Castillo de Eggenberg

Linz, nudo comercial del Danubio

or número de habitantes, esta ciudad, capital del estado de Alta Austria desde 1490, es la tercera del país, después de Viena y Graz. Los orígenes de la ciudad se remontan a la ocupación romana, época en la que fue un importante campamento por su situación estratégica como nudo comercial del Danubio. A finales del siglo XV se convirtió en capital y refugio del emperador Federico III, pero después entró en un periodo de decadencia. Ya en nuestro siglo, Hitler quiso favore- cer a su ciudad natal, pero el re- sultado fue el contrario. Sufrió más de veinte ataques aéreos y una vez terminada la guerra fue di- vidida en dos zonas de ocupación americana y rusa.

— Plaza Mayor — (Hauptplatz)

Esta plaza es el corazón de la parte antigua. Su construcción data de 1230 y está rodeada de casas renacentistas. Sus dimen- siones son 220 por 60 metros, lo que la convierte en el recinto cerrado mayor de Austria. En el centro de la plaza destaca la Columna de la Peste, de mármol blanco, construida en forma de custodia en 1723 en recuerdo del peligro de la peste y de la invasión turca.

Entre las magníficas casas patricias con fachadas barrocas se encuentra, en el número 1 de la plaza, el antiguo **Ayuntamiento** gótico de 1513. Reconstruido en 1658, posee una fachada barroca con una pequeña torre angular y un reloj astronómico. Otro digno de

∝ Los cafés ∾

Los requisitos necesarios para un buen café son que estén ubicados en Viena, Salzburgo, Linz o Graz, tener bancos forrados de terciopelo y mesas de mármol, espejos y arañas de cristal, olor a café recién molido y periódicos de todo el mundo encorsetados en una barra.

Se dice que Johann Diobato, inmigrante armenio, obtuvo en 1685 de la Cámara Áulica Imperial el derecho de "preparar bajo la forma de café el brebaje turco", convirtiéndose así en el primer cafetero de Viena. Seguidamente se abrieron numerosos cafés donde se encontraban los primeros periódicos y una atracción reservada hasta entonces a la aristocracia: el billar. Muchos se convirtieron en el lugar de cita de jugadores de ajedrez o de cartas o sobresalían por sus programas musicales. Desde su nacimiento hasta nuestros días el café vienés es mucho más que un establecimiento donde se sirve bebida, sino un lugar de encuentro de periodistas, políticos, intelectuales y estudiantes, principalmente.

mención es el que aloja la **Bürger-haus** de factura barroca, pero con elementos del gótico, como una de las ventanas. En el número 21 se puede contemplar una fachada con estucos que data del siglo XVIII. En el número 27 se observa el **Palacio Weissensolf** de 1660.

— Puente de los — Nibelungos (Nibelungenbrücke)

Fue edificado durante la Segunda Guerra Mundial y une la ciudad con Urfahr, un antiguo barrio que actualmente se ha convertido en moderno centro de comunicaciones, a espaldas del casco antiguo de la ciudad. Desde este puente salen los barcos que realizan los trayectos por el Danubio.

— Landhaus —

Este palacio renacentista, actual sede del gobierno de la provincia, fue construido entre 1564 y 1574 como escuela protestante. En el exterior sobresale la decoración a base de escudos y relieves y la torre. El patio interior está porticado, con doble galería, en cuyo centro hay una fuente de 1574. La **iglesia de los Frailes Menores** (Minoritenkirche), de estilo rococó, está adosada al edificio. En el altar destaca el gran retablo obra de Bartolomeo Altomonte.

— Castillo de Linz — (Schloss Linz)

Su construcción fue ordenada por el emperador Federico III en el siglo XV. En el siglo XVI, Rodolfo II lo transformó en un fastuoso palacio. En la década de los 60 se habilitó parte de la fortaleza para albergar 15 salas con diferentes colecciones de artes, desde restos arqueológicos hasta pintura austríaca del siglo XIX. En él se pueden admirar objetos tan dispares como armas medievales hasta ornamentos y vestimentas litúrgicas.

– Iglesia de San Martín – (Martinskirche)

Situada sobre una colina detrás del castillo, se remonta al siglo VIII, época carolingia, de la que se conservan los muros principales. Posteriormente fue reformado en estilo gótico. El interior conserva inscripciones funerarias romanas del siglo III.

— Antigua Catedral — (Alter Dom)

La catedral fue en sus orígenes una iglesia de los jesuitas. Fue construida entre 1669 y 1678 con una gran fachada con una portada barroca. En el interior se abre una sola nave con capillas barrocas en los laterales decoradas con estucos blancos y rosas y altares de mármol. El órgano data de 1789 y Anton Brucker, el "músico de Dios", fue el organista mayor entre 1855 y 1868. El altar mayor está decorado con estatuas y columnas de mármol.

— Nueva Catedral — (Neuer Dom)

Su construcción se inició en el siglo XIX y terminó en 1924 en estilo neogótico. La torre, una de las más altas del país, se levanta casi 140 metros. El interior tiene capacidad para unas 20.000 personas.

• Nueva Catedral

— Iglesia parroquial — (Stadpfarrkirche)

Construida en época gótica y reformada en un recargado estilo barroco a mediados del siglo XVII está dominada por la alta torre gótica. Con una planta de tres naves, a la derecha se encuentra la **capilla de San Juan Nepomuceno** realizada en 1736. El fresco del coro representa *El triunfo de la religión* y el lienzo del altar mayor representa *La Asunción*. A la derecha se observa el corazón del emperador Federico III, muerto en el año 1493.

— Landstrasse —

Esta calle peatonal es la principal arteria comercial de la ciudad. En Linz se puede comprar desde ropa hasta joyas o artesanía. Esta avenida está llena de cafés típicos y numerosas fachadas de origen barroco. En esta calle y en las colindantes se encuentran numerosas iglesias barrocas. Recorriéndola se encuentra la **iglesia de las Ursulinas (Ursulinenkirche)** construida en 1757 con fachada barroca flanqueada por dos torres e interior de una única nave. En el altar sobresalen las pinturas obra de Altomonte. Más adelante se encuentra la **Iglesia de los Carmelitas (Karmeliterkirche)** de principios del siglo XVIII. El interior, decorado con estucos, conserva un altar mayor con un retablo de Altomonte.

• Calle peatonal en el centro de la ciudad

En la Harrachstrasse, al este de la Landstrasse, se encuentra la **Iglesia del Seminario (Priesterseminarkirche)** construida entre 1718 y 1725. Tiene planta oval decorada con estucos y en el altar mayor se puede ver una crucifixión también de Altomonte.

Al oeste de la Landstrasse destacan otros edificios como la **Iglesia de la Misericordia (Barmeherzige-Büder-Kirche)**, construida entre 1713 y 1716 con fachada cóncava y planta central. En el altar mayor se puede ver una pintura de Kremser Schmidt de 1773.

— Pöstlingberg —

En una visita a Linz es obligado subir, en el ferrocarril más empinado de Europa, al Pöstlingberg, una colina que se eleva 538 metros al noroeste de la ciudad. Se trata de un estupendo mirador sobre el valle del Danubio y la ciudad. En su cima se encuentra un santuario barroco de 1747 dedicado a la Virgen María y muy próximo el Grottenbahn, un ferrocarril en miniatura que recorre algunas grutas decoradas con escenas de cuentos populares.

• Ferrocarril de Pöstlingberg

Guía Práctica

— Formalidades — fronterizas

Desde el 10 de diciembre de 1999, Austria pertenece a la familia de los países signatarios de Schengen y por tanto sólo es necesario el carnet de identidad o el pasaporte en regla para entrar en el país.

— Sistema monetario —

La unidad monetaria es el chelín austríaco que equivale aproximadamente a 12 pesetas. Existen billetes de 5.000, 1.000, 500, 100, 50 y 20. Se pueden cambiar pesetas en chelines sin ningún problema en cualquier banco, según el curso de cambio oficial. En las casas de cambio de los aeropuertos y estaciones de ferrocarril, así como en agencias de viajes u hoteles se cobra comisión. Los bancos están abiertos generalmente de lunes a viernes de 8:00 a 12:30 horas y de 13:30 a 15:00 horas. Únicamente los jueves se mantienen abiertos hasta las 17:30 horas.

— Correos —

Las oficinas de correos están abiertas de 8:00 a 12:00 y de 14:00 a 18:00 horas. Los valores para envíos desde Austria a España son 7 chelines para tarjetas postales. Los sellos se pueden comprar en las oficinas de correos o en los estancos (Tabak-Trafik). Los buzones son de color amarillo y naranja.

— Teléfonos —

Se recomienda realizar cualquier llamada telefónica desde Austria hacia el extranjero desde las oficinas de correos, ya que resulta más económico que desde los hoteles. Las llamadas a larga distancia que se efectuan entre las 18:00 y las 8:00 horas y los fines de semana, desde el viernes a las 18:00 horas hasta el lunes a las 8:00 horas, tienen un descuento considerable.

— Idioma —

Se habla alemán, pero también con bastante frecuencia inglés, francés e italiano.

— Corriente eléctrica —

La corriente eléctrica va a 220 voltios y 50 Hz. Los hoteles están provistos de enchufes de clavija redonda.

— Transporte —

En las grandes ciudades los taxis están equipados con un taxímetro graduado oficialmente y se cogen en las paradas o se piden por teléfono. Para viajes interurbanos el precio será fijado de acuerdo con el conductor. En los traslados de Viena al aeropuerto suelen cobrarse 130 chelines más para el viaje de vuelta del taxi y por el transporte de equipaje de más de 20 kilos se cobra un recargo.

Para alquilar un coche la edad mínima oscila entre 21 y 25 años dependiendo de la compañía y se necesita el carnet de conducir junto con una licencia internacional de conductor. Los límites de velocidad son 100 km/h en carreteras, 130 km/h en autopistas y 50 km/h en ciudades. Es obligatorio el uso del cinturón y los niños menores de 12 años deben viajar en la parte trasera.

La red nacional austríaca de comunicación ferroviaria posee unos 5.800 kilómetros y está unida con la red internacional. Es posible la reserva de los asientos (30 chelines). En los principales trayectos hay un servicio de trenes con intervalos de una o dos horas. Existen diferentes descuentos para la tercera edad, estudiantes y grupos. Los niños menores de seis años viajan gratis pero sin derecho a asiento, y los jóvenes hasta 15 años pagan la mitad del pasaje.

Por vía aérea, existen conexiones directas desde España a Austria diariamente, servidas por Iberia, Austrian Airlines y Lauda Air, así como enlaces vía Zurich con Swissair y vía Munich con Lufthansa.

El acceso a las diferentes capitales austríacas con conexiones desde Viena está garantizado a través de las compañías Tyrolean Airways y Rheintalflug.

— Tarjeta de Viena —

Con la Vienna Card podrá explorar la ciudad durante 72 horas con el metro, autobús o tranvía y visitar con descuentos numerosos lugares de interés. Obtendrá tarifas reducidas en las visitas con guía, precios especiales al ir de compras, para la Vienna Mozart Orchester, algunos teatros, para cambiar dinero con el banco Die Erste, ventajas en cafés, en las tabernas "Heurigen" y restaurantes. Descuentos de hasta un 50% en el Museo de Historia Militar, el Museo de Relojes y la Hermes Villa. La tarjeta se puede obtener en los hoteles vieneses, en las oficinas de información turística de Viena (9:00 a 19:00), en los 14 puntos de venta e información de las Wiener Linien/Empresa de Transporte Público de Viena o desde fuera de Viena con la tarjeta de crédito llamando al teléfono 00 431789440028. Su precio es de unos 180 chelines (2.200 pesetas).

— Tarjeta de Salzburgo —

La Salzburgo Card se puede obtener para 24 horas (200 chelines), para 48 horas (270 chelines) y para 72 horas (360 chelines), para adultos y para los niños de 7 a 15 años a mitad de precio. La tarjeta da derecho a visitar de forma gratuita alrededor de 21 lugares de interés como la fortaleza, la casa de Mozart y el Palacio de Hellbrunn, entre otros. Todos los transportes públicos (salvo la línea 80) están incluidos en la tarjeta y descuentos especiales que incluyen el teatro de marionetas, el espectáculo *Sound of Music* y visitas a las minas de sal en Hallein.

La tarjeta Salzburgo Plus ofrece además alojamiento con desayuno, dos comidas de tres platos al día con dos bebidas incluidas, visitas diarias a cafés de la ciudad, una visita a un acontecimiento cultural o una visita guiada. Hay distintas versiones según la categoría de los hoteles. Precios en hoteles de tres estrellas a partir de 18.000 pesetas y de cinco estrellas a partir de 24.000 pesetas por persona y noche.

— Tarjeta de — Innsbruck

La Innsbruck Card incluye descuentos en los transportes público, la subida a los teleféricos Nordkettenbahn, Patscherkofelbahn y Hungerburgbahn, la entrada en el Museo de Arte Popular, en el Palacio Imperial, Iglesia de la Corte, Museo Provincial Ferdinandeum, Castillo de Ambras, Zoo alpino, Museo Bargisel de Cazadores Imperiales, Museo del Club Alpino, Museo de Campanas, Museo del Tranvía y a los Mundos de Cristal de Swarosvski. Además, la entrada libre al Casino de Innsbruck con una consumición gratuita en el bar. El precio es, para 24 horas, de 200 chelines, para 48 horas de 280 chelines y para 72 horas de 350 chelines. Los niños tienen un 50% de descuento.

— Gastronomía —

Los horarios de almuerzo y cena varían con respecto a España. En Austria se suele almorzar entre las 12:00 y las 14:00 horas y cenar entre las 18:00 y las 21:00 horas. La cocina austríaca ofrece una gran variedad de platos con influencias provenientes de los países del antiguo Imperio Austro-Húngaro. Austria dominó media Europa en tiempos de los Habsburgo, importando de los diferentes países los platos más exquisitos y los mejores cocineros. El primer plato preferido de los austríacos normalmente es la sopa. El segundo plato consiste, la mayoría de las veces, en carne (cerdo, vaca, ternera), acompañado de verduras, salsas y patatas y ensaladas. De postre se toma cualquiera de los famosos dulces

• "Sachertorte", especialidad vienesa

austríacos. Entre las especialidades se puede degustar Escalope a la vienesa (Wiener Schnitzel), Tafelspitz (carne de buey hervida), Trucha a la molinera (Forelle nach Müllerin Art) o Schweinsbraten (carne de cerdo asado). Entre los dulces se recomienda el Kaisserchmarrn, los Palastschinken (Creps), el famoso Apfelstrudel (pastel de manzana) o tarta Sacher (de chocolate).

Buenos vinos de la tierra, cervezas, zumos –sobre todo de manzana- aguardientes y una gran variedad de cafés acompañan las comidas austríacas.

— Compras —

El horario comercial es de lunes a viernes de 8:00 a 18:00 horas (a veces cierra a mediodía) y los sábados de 8:00 a 13:00 (el primer sábado del mes hasta las 17:00 horas). Según la región y el tipo de negocio puede haber ligeros cambios.

Austria ofrece una gran variedad de productos típicos como Loden, edredones, vestidos "Dirndl", jamones ahumados (speck), aguardientes (schnaps) y licores, dulces (Mozartkugeln, Tarta Sacher), así como tallas de madera, cerámica, porcelana (Augarten), adornos florales y navideños.

— Invierno alpino —

Austria cuenta con 22.000 kilómetros de excelentes pistas y descensos salvajes para esquí de travesía. El esquí alpino, la técnica del weder y las mejores escuelas de esquí del mundo se encuentran aquí. Las estaciones austríacas disponen de los telesillas y funiculares más modernos, con profesores de esquí particulares, escuelas de esquí para niños y adultos, así como también con modernos equipos de esquí para comprar o alquilar.

Austria se ha convertido en poco tiempo en la meca de los fanáticos del snowboard. En casi todas las grandes estaciones de esquí ya hay pistas para snowboard, halfpipes y funparks. Trescientas cincuenta escuelas enseñan los últimos métodos de Freeriding y Powderriding.

Los lugares más famosos para practicar los deportes de invierno son Lech, St. Anton, Innsbruck, Kitzbühel, Seefeld y Saalbach-Hinterglemm, entre otros muchos.

— Vida cultural —

El concierto de Año Nuevo de la Orquesta Filarmónica de Viena, transmitido por televisión desde el Salón Dorado del edificio la Sociedad de los Amigos de la Música y la Sala de la Musikverein constituyen el centro de la vida musical de la ciudad. En este último edificio todas las mañanas de domingo se celebran los tradicionales conciertos de la Orquesta Filarmónica de Viena.

En mayo y junio se celebra cada año el Festival de Viena con manifestaciones en todos los sectores de bellas artes y del teatro que supone el cenit de la vida cultural vienesa. Por otra parte, des-

de 1920 se celebra el Festival de Salzburgo en el Gran Palacio de los Festivales, cuyo programa se centra en las obras de Mozart. En verano tienen lugar también, en la ciudad de este compositor, las Semanas Universitarias Internacionales y la Academia Internacional de Verano de Bellas Artes, el Festival de Pascuas, con óperas y conciertos y los Conciertos de Pentecostés, fundados por Karajan. En Graz se celebra el Otoño estirio, un gran festival del vanguardismo y cada verano se celebra en Linz el Ars Electrónica, festival de tecnología y sociedad.

Índice
Alfabético

Salzburgo

Valle de los
Nibelungos

Wachau